DANTE

DANTE

por Roberto Mares

Grupo Editorial Tomo, S.A. de C.V.
Nicolás San Juan 1043
03100 México, D.F.

1a. edición, octubre 2002.

Nicolás San Juan 1043, Col. Del Valle
03100 México, D. F.
Tels. 5575-6615, 5575-8701 y 5575-0186
Fax. 5575-6695
http://www.grupotomo.com.mx
ISBN: 970-666-480-7
Miembro de la Cámara Nacional
de la Industria Editorial No. 2961

Proyecto: Roberto Mares
Diseño de Portada: Emigdio Guevara
Formación Tipográfica: Servicios Editoriales Aguirre, S.C.
Supervisor de producción: Leonardo Figueroa

Impreso por Quebecor World Bogotá S.A.
Impreso en Colombia - Printed in Colombia

Contenido

Prólogo 7
1. Las huellas del pasado 9
2. El nacimiento 15
3. Primera formación 17
4. Una pasión prematura: Beatrice Portinari 23
5. Beatriz real y poética 29
6. La *vita nuova* 35
7. *Il fiore* 41
8. La batalla de Campaldino 47
9. Gemma Donati 51
10. Dante y la política 55
11. El exilio 63
12. El *dolce stil nuovo* 69
13. El destierro creativo 73
14. *Il convivio* 75
15. *De vulgari elocuentia* 81
16. La *monarchia* 85
17. Una ilusión de imperio: Enrique VII 91

18. La síntesis poética 99
19. La "Divina" Comedia 101
20. El infierno 107
21. El purgatorio 117
22. El reencuentro con Beatriz 125
23. El paraíso 133

Prólogo

Hay muchas personas que creen que el nombre que se le pone a un niño de alguna manera marca su destino; a primera vista, esta creencia pareciera del todo irracional; pero pensándolo bien, tiene mucho de verdad, porque el nombre que eligen los padres para sus hijos es siempre una proyección de algo que para ellos es importante y es en sí mismo un complejo de significados que el niño tendrá que asumir aunque no lo quiera o lo sepa, pues si se llama Rodrigo, tal vez la madre quiere que se parezca en todo al homónimo abuelo, y el padre quiere que se convierta en un hombre valeroso y campeador, como Rodrigo Díaz de Vivar, el *Cid*. Así que Rodriguín no se podrá desembarazar de un conjunto de imágenes que se encuentran asociadas a su nombre y que responden a expectativas que no son las suyas, pero que terminarán siéndolo, pues nadie escapa a lo que el nombre indica en el universo familiar.

Aunque parezca raro, todavía hay niños a los que les ponen el nombre de Dante, seguramente los padres de esas infortunadas criaturas fantasean en que su hijo llegue a ser un insigne poeta y pase a la historia, como aquel personaje cuya vida se narra en este libro y que en realidad no se llamó Dante, sino *Durante Cacciaguida Alighieri*; lo de "Dante" fue su nombre familiar y apreciativo, como cuando se le llama "Lalo" a Eduardo; sin embargo, con ese nombre ha perdurado en la imaginación de mucha gente por más de seis siglos, lo que corrobora la idea de que el nombre hace destino, pues "Durante", en lengua toscana, significa "el perdurable", el que trasciende, lo que sin duda se cumplió; pero ahí no termina la cosa, porque le pusieron por segundo nombre el de un admirado ancestro de la familia: *Cacciaguida*, quien fue un auténtico caballero medieval que puso su espada al servicio de la cristiandad y se fue de cruzado al rescate de la Tierra Santa, donde murió en campaña, como debe morir un caballero.

El niño Durante (para nosotros Dante), creció con esa imagen en el ambiente familiar y el heroico tatarabuelo se le metió en el alma, permaneciendo ahí, como un poderoso arquetipo, durante toda la vida de un hombre que no tuvo más remedio que elegir el oficio de poeta y el de caballero, pero de tal manera combinados que se convirtieron en uno solo, que fue el oficio de Dante Alighieri, cuyo género es único e irrepetible.

Lo que aquí se narra es la génesis y el desarrollo de ese oficio, que en el caso de Dante no consiste solamente en el arte de escribir poemas, sino de vivir poéticamente, lo que es propio de todos aquellos, sean poetas o no, en los que prende la voluntad de darle un sentido trascendente a la vida propia, lo que va más allá del nombre, de la familia, del tiempo y del espacio.

Dante Alighieri fue uno de esos hombres que no solamente juegan con maestría el papel que les indican los valores de su tiempo, sino que se inventan una historia propia y la llevan a la escena social, creando nuevos patrones para la posteridad. En estas páginas exploraremos la vida y la obra de un personaje de esta índole, ubicándonos en una época remota en el tiempo, pero cercana en sensibilidad, pues los tiempos de ahora apuntan hacia un humanismo transformador, igual que entonces, lo que hace que el Dante ya no tenga para nosotros esa aureola de solemnidad y se nos vuelva cercano, más dúctil, más amable.

Roberto Mares

1
Las huellas del pasado

La patria de Dante fue el territorio en el que se había desarrollado la vigorosa civilización de la Roma imperial, pero en sus tiempos ya no quedaban más que las ruinas de pasadas glorias y las huellas que había dejado una cultura tan poderosa que permanecía subyacente en la península itálica, a pesar de las grandes conmociones históricas que representaron las invasiones bárbaras y el violento proceso de cristianización, que creó un estilo de vida totalmente diferente del de la antigüedad clásica, un sistema de valores y una estructura social que se extendió por toda Europa y que se conoce como Edad Media, considerando que fue una especie de intermedio entre la cultura clásica greco-latina y el Renacimiento, llamado así porque se entiende como un volver a nacer del mundo clásico y, en especial en Italia, de la cultura latina.

Fue en la época de Carlomagno que se fincaron las bases del sistema feudal que privó en Italia durante toda la Edad Media, estableciéndose un orden relativamente estable y pacífico, con la institución del pontificado a la cabeza; aunque ya en el siglo XII comenzó a descomponerse este orden con las propuestas de cambios e ímpetu de conquista de los reinos alemanes, cuyas pugnas internas llegaron a afectar a toda Europa, y en particular hicieron eco en Italia, dado que en esta región el Papa detentaba un gran poder, y las nuevas tendencias, representadas por los alemanes, significaban un gran peligro para el régimen patriarcal y para la organización feudal. Los monarcas alemanes lograron conquistar una buena parte de Italia, pero entre ellos mismos se dio una seria división, entre los partidarios del rey Welf III, y Conrado III, el rey de Weibelingen; en Italia, a los seguidores del primero se les llamaba *güelfos*, y a los del segundo *gibelinos*; la pugna entre ambos partidos condicionaría la dinámica de la política en Italia durante varios siglos, representando la lucha entre el antiguo orden feudal y la naciente burguesía, que daría lugar al espléndido Renacimiento italiano.

Los güelfos eran partidarios del Papa y se identificaban con el pueblo bajo, aunque dentro de los parámetros del feudalismo, a diferencia de los gibelinos, que pretendían el establecimiento de un imperio relativamente libre del arbitrio del Vaticano y que favoreciera los intereses de la naciente clase burguesa, representada por comerciantes, artesanos, profesionales libres y burócratas de todos los niveles; esta nueva clase social carecía de la "nobleza" de sangre que distinguía a los dominadores tradicionales, cuyo poder se basaba en la posesión de la tierra y el trabajo de los siervos, mientras que el nuevo poder se fundaba en el capital, generado básicamente por la apertura comercial. Entre los conflictos políticos y la ausencia de una autoridad definida y fuerte se van creando en Italia un conjunto de nacionalidades regionales, definidas por su dialecto y tradición, naciendo lo que se ha llamado "ciudades estado", que eran entidades políticas relativamente independientes y en constante reacomodo, tanto por sus eventuales vinculaciones con los poderes centrales, ya fuera el papado o los "imperios", o por las constantes pugnas entre sí.

A finales de la Edad Media, el desorden político era ya generalizado en Europa, pero fue en Italia donde se vivió con más intensidad, debido a que Roma era el símbolo que evocaba la grandeza del antiguo imperio y que, con la institución del pontificado, era el centro de la cristiandad, por lo que representaba la única ideología unificadora de las regiones europeas. La incertidumbre política fue benéfica para Italia, pues creaba un ambiente de liberalidad y oportunismo, lo que dio un gran impulso a las artes, la filosofía, la ciencia y la técnica, en medio de esta vitalidad cultural se fueron dando las condiciones para el desarrollo del Renacimiento, que surgió en Italia y se extendió por toda Europa.

En gran medida, la política medieval estuvo determinada por el deseo de restaurar el orden imperial de la antigua Roma, por lo que, ahora bajo la simbología cristiana, se produjeron varios intentos de unificación de Europa, siendo los principales los de Carlos *el Grande* (Carlomagno), entre los siglos VI y VII; el *Sacro Imperio Romanogermánico*, hacia el siglo XI, y finalmente el que lidereó Federico I, llamado *Barbarroja*, que se considera terminado a la muerte de su nieto, Federico II. Esta ausencia de poder produjo una nueva época de incertidumbre en los Estados italianos, que revitalizó las luchas anteriores entre güelfos y gibelinos, pero ahora más como revueltas internas que como formas de adhesión a poderes centrales, pues ahora la pugna era por el logro de una mayor independencia y por la búsqueda del poder interno en las ciudades-estado, que si bien seguían formalmente sujetas al imperio, virtualmente se autogobernaban, aunque estos gobiernos presentaban una dualidad, pues por un lado existían los *Concilios*, que eran los órganos administrativos de la antigua clase aristocrática, y por otro los *Consorcios*, en los que el pueblo y la nueva clase burguesa dirimía sus asuntos. Esta complejidad política era fuente de grandes controversias, pero también de una gran creatividad y movilidad social, lo que da lugar a extraordinarias manifestaciones culturales, dentro de las cuales se encuentran las obras de los grandes artistas, filósofos y poetas prerrenacentistas, entre los cuales se encuentra Dante; en la actitud de muchos personajes de la época se refleja con claridad la contradicción en todos los órdenes de la sociedad, y en particular en la política, que en esos tiempos había llegado a ser fundamentalmente una contradicción ideológica, dos maneras distintas de concebir la vida en general y no solamente la vida pública.

Con lo anterior, podemos entender en forma general los antecedentes de Dante, pero la parte medular de sus raíces está en la tierra toscana, y particularmente en Florencia, que, como ya hemos visto, en aquellos tiempos era una entidad política y cultural independiente, por lo que no debe entenderse solamente como una ciudad, pues para el poeta y sus contemporáneos era la patria misma, por lo que sería demasiado generalizador el considerar al Dante como un poeta italiano, sino que es preferible llamarlo florentino, pues esta fue su nación, en el sentido más profundo del término: como la tierra donde se nace y que se vive interiormente como la amalgama de la personalidad.

La ciudad de Florencia tiene orígenes muy remotos, fue fundada por los etruscos y más tarde se convirtió en un emplazamiento romano; en la alta Edad Media fue la sede de los duques longobardos, y en los siglos X y XI capital del Marquesado de Toscana, comenzando ahí su evolución mercantil y artesanal, que sería el origen de su gran influencia económica y la fuente de su cultura, principalmente orientada a la manufactura, y que más tarde daría lugar a su extraordinario desarrollo artístico.

En el año de 1107 Florencia se declara en rebeldía en contra del imperio romanogermánico, con la finalidad de lograr el mismo estatus de independencia que tenían otras ciudades de gran pujanza económica y cultural, como Pisa, Venecia o Milán, que ya eran Estados relativamente independientes. Florencia fue la última de las ciudades importantes de Italia que se emanciparon del imperio, durante la regencia de la condesa Matilde, la última de la estirpe de los marqueses de Toscana; pero al morir ella, en 1115, quedó un vacío de poder que se disputaron, por casi un siglo, el papado y el imperio, lo que permitió a Florencia admi-

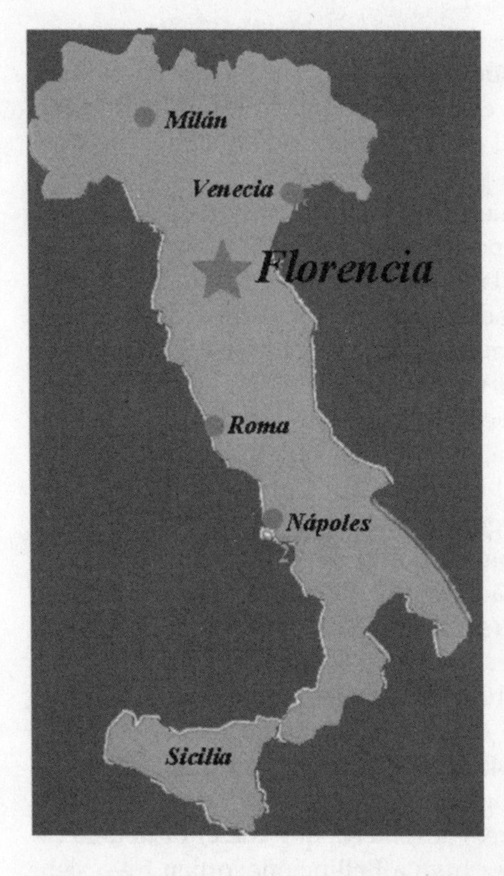

Mapa de Italia.

nistrarse con cierta autonomía, adoptando el sistema de *comuna* que tenían las demás regiones, y finalmente, en 1207, se asumió el carácter de *podestá*, que significaba la obtención del reconocimiento, por parte del Papa, para autogobernarse, con lo que Florencia entra en un periodo de paz y prosperidad, convirtiéndose en un polo de desarrollo de gran importancia en la región, pero también en el centro de las contradicciones subsistentes entre güelfos y gibelinos, quienes tomaban alternativamente el poder, según se daba el balance de fuerzas, creando un ambiente de incertidumbre para muchos, pero también era la fuente de una nueva concepción de la política, mucho más elaborada y menos cruenta que el simple uso de la fuerza. Ocasionalmente, el partido que se afianzaba en el poder castigaba con el destierro a los contrarios, quienes más tarde volvían por sus fueros y hacían lo mismo con sus enemigos políticos; el propio padre de Dante, Alighiero, tuvo que marchar al exilio después de la batalla de Monteaperti, aunque no por largo tiempo.

La familia Alighieri pretendía descender de noble prosapia romana, en especial de la familia Frangipani, pero el máximo orgullo de la familia y en especial de Dante es la rama que estuvo ligada al imperio germánico, de los que se menciona a los hermanos Moronto, Elisei y Cacciaguida, quienes vivieron a principios del siglo XII y tuvieron cierta influencia en el imperio; pero Dante era descendiente directo de Cacciaguida, quien había sido un heroico caballero de la corte del emperador Conrado III y había participado en la segunda *cruzada* en Tierra Santa, donde fue muerto en acción en el año de 1147.

El tatarabuelo Cacciaguida fue para Dante una especie de mito personal, pues encarnaba los ideales de la caballería, que para el poeta es el paradigma de la nobleza del espíritu; él le dedicaba epítetos tales como "héroe de la fe", "caballero sin tacha", "alma de romano", y algunos otros.

Cacciaguida había sido esposo de una dama noble de Ferrara llamada Aldighiera, con quien tuvo un hijo a quien llamó como la madre: Aldighiero, que fue el bisabuelo de Dante, quien a su vez tuvo a Bellincione, quien tuvo siete hijos, uno de los cuales recibió el nombre de Alighiero, habiéndose ya mutado la fonética original; éste fue el padre de Dante, y recibió el patronímico de Alighieri, que había sido elegido por el padre de él, en virtud de que la familia de la bisabuela era de mayor jerarquía social que la de su esposo. Alighiero contrajo matrimonio con Gabriella, también llamada Bella, quien pertenecía a la familia Abafi, de noble estirpe pero venida a menos. De esta unión nacieron dos hijos, lo que será tema para el siguiente capítulo.

2

El nacimiento

Según los cánones de la época, el padre de Dante se llamó Alighiero II di Bellincioni d'Alighiero, y su madre Gabriella Abafi; se dice que tuvieron dos hijos, aunque de una supuesta niña sólo se tiene la referencia, pero ningún dato posterior.

El poeta nació el 14 de mayo de 1265, en un distrito de Florencia llamado Porta San Pietro, y fue bautizado como Durante Cacciaguida Alighieri; su primer nombre "Durante", significa "el perdurable", lo que lo convierte en una especie de reencarnación del heroico ancestro; el nombre de "Dante" es un apócope de Durante, llegando a ser su nombre literario e histórico.

Uno de los biógrafos de Dante, el célebre Giovanni Boccaccio, refiere un sueño que tuvo la madre durante su embarazo y que resulta significativo:

> *Dormida bajo un frondoso laurel, a orillas de una fuente de agua clara, daba a luz a un niño, que de inmediato iba a beber del agua de la fuente y comía las bayas que habían caído del árbol, con esa alimentación crecía rápidamente hasta que se convertía en un pastor que recogía las hojas del árbol, pero después se caía al suelo y se convertía en una paloma.*

Es sabido que el nacimiento de personajes de gran importancia es precedido por sueños o visiones de esta índole,

Dante Alighieri.

en este caso el sueño parece una paráfrasis de otro muy similar que le ocurrió a la madre de Virgilio, el poeta que Dante toma como paradigma de la creación literaria y que adopta como su guía en la Divina Comedia, por lo que este sueño bien puede ser parte del mito creado en derredor de su persona o una elaboración simbólica del propio Dante.

El padre de Dante era un ser un poco sórdido, dedicado a las finanzas, tal vez como cambista o prestamista, lo que no es claro; pero la familia era de buena posición económica y poseía varias casas en uno de los barrios más caros de la ciudad, entre la plazoleta de San Martino del Váscobo y la plazoleta *dei Giouchi.* La casa en que nació Dante se encuentra todavía al lado de la antigua torre de Badía, en la calle *dei Magazzini.*

La madre, Bella, murió en el año de 1278, dejando huérfano al niño de trece años; pero el padre, Alighiero, no tardó en contraer nuevas nupcias con una dama llamada Lapa di Chiarissimo Cialuffi, y de esta unión nacieron dos hijos, Francesco y Gaetana.

3

Primera formación

Apenas había llegado a los seis años de edad, cuando Dante fue encargado a la tutoría intelectual de uno de los más renombrados maestros de Florencia: Brunetto Latini, quien ejerció una gran influencia en su tierno alumno. Brunetto era un reconocido retórico y especialista en el manejo de la lengua latina y toscana, lo que probablemente influyó en el desarrollo del niño más en el campo de la literatura que de la filosofía, aunque en este terreno tuvo también un importante desarrollo. Dante conservó siempre un gran afecto por Brunetto Latini e incluso lo inserta, como un personaje, en su *Commedia*, conversando con él, por supuesto ya muerto, y expresándose en términos elogiosos, aunque no duda en colocarlo en el infierno, pues, aparentemente, su conducta era licenciosa, por lo menos para los severos juicios de su antiguo pupilo.

Brunetto fue el que inició el desarrollo de la cultura humanística de Dante, pero no fue su único maestro durante esa época, además de que desde muy tierna edad se aficionó a la lectura, lo que le abrió un inmenso campo de búsqueda, aunque su dedicación principal, bajo la tutoría de Brunetto fue la lengua y la literatura poética, lo que llegaría a ser la materia de su obra y de su trascendencia histórica.

Por mérito propio y buena disposición familiar, Dante tuvo relación desde niño con las grandes figuras intelectuales de la época, como Buonagiunta Urbiciani, Ricordano Malaspini, Guittone d'Arezzo, Cino da Pistoia, Lappo Gianni, Guido Cavalcanti, Giordano da Rivalta, dentro de la literatura y la filosofía; en el arte, y en especial en la pintura, se relacionó con personajes de la talla del Giotto, Cimabue, Arnolfo y muchos otros predecesores del arte renacentista. La obra de estos pintores, y más su actitud, es la misma que la del Dante en su terreno, pues ellos recibieron el material elemental de la expresión pictórica y lingüística, que procedía de la alta Edad Media, pero la refinaron al grado de crear nuevas pautas de expresión que anticipaban el Renacimiento. Particularmente, Dante recibió como instrumento poético una lengua toscana burda e indeterminada, como lo eran todos los dialectos italianos, y en general las lenguas romances europeas; el gran mérito de los escritores medievales, y sin duda Dante es uno de los principales, fue el establecer una normatividad, una riqueza de léxico y una estética para las lenguas, con lo que se convirtieron en modelos a seguir para el uso de la lengua, por lo que la expresión evolucionó de lo dialectal y regional hacia la formación de culturas nacionales. Tal vez ahora la poesía sea algo más íntimo y personal, pero en aquella época era una necesidad histórica.

Probablemente desde niño, Dante comenzó a versificar, pero a los dieciocho años publicó su primer soneto, mismo que tuvo tanto éxito que uno de los poetas más importantes de Florencia, Guido Cavalcanti, fue a visitar al muchacho para manifestarle su admiración, lo que causó una gran conmoción en su familia y amigos, pues aquello representaba un reconocimiento que le proporcionaba la entrada en las letras florentinas y le daba una fama prematura por edad, aunque no por calidad, lo que fue reconocido por Cavalcanti, quien desde ese momento fue su preceptor y amigo.

En su adolescencia, Dante fue inscrito como alumno regular en un seminario para jóvenes de clase alta, en instituciones como ésta se seguían las formulaciones académicas de la época, donde los estudios se desarrollaban en dos áreas, llamadas *Trivium* y *Cuadrivium*; la primera estaba compuesta por tres materias: gramática latina, retórica y dialéctica; desde luego todos los estudios se realizaban en latín clásico, despreciando la lengua *vulgar*, cuya procedencia se consideraba bárbara y por tanto impropia para la asimilación de la cultura. El Cuadrivium, obviamente, estaba compuesto por cuatro materias: aritmética, geometría, astronomía y música. Como se comprenderá, esto cubría una cultura general en los terrenos de las ciencias y las humanidades, de acuerdo a los parámetros de la época. Pero estos estudios, básicos y convencionales, no podían satisfacer a un joven lleno de inquietudes intelectuales, como Dante, así que él los complementó con sus lecturas, sobre todo en el campo de la filosofía y la política; el grado de profundidad y el tono de estos estudios personales nos lo expresa él mismo en una de sus notas: *Penetré tanto en la enseñanza de los filósofos, que al mezclarse sus ideas con las de mi propio ingenio, yo veía muchas cosas como soñando.*

Además de estos estudios filosóficos, era asiduo concurrente al taller de dibujo que dirigía el pintor Cimabue, donde fue compañero de Oderigo da Gubbio y del Giotto, quien llegaría a ser una de las luminarias de la pintura florentina. Dante mantuvo siempre una cercana amistad con Giotto, quien le hizo uno de los más famosos retratos, donde aparece Dante en la capilla del palacio del podestá de Florencia y con una granada en la mano, lo que indica que el poeta probablemente ya se encontraba trabajando en la Divina Comedia, pues la granada, en esa época, era un símbolo del infierno.

Boccaccio cuenta que en su juventud Dante se consagró a la música, y que destacó en el canto, aunque también cultivó el dibujo y la caligrafía, como nos dice en el siguiente pasaje: *Dante era un gran calígrafo; era la letra suya muy delgada, larga y en extremo correcta, lo que yo mismo he constatado en algunas de sus cartas.*

Pero pronto el joven Dante tuvo que sustituir su autodidactismo por estudios más formales, pues en sus tiempos ya se habían desarrollado instituciones de enseñanza superior de índole relativamente laica, y que se conocían como *Studi*, correspondiendo al concepto moderno de universidad. La primera de estas escuelas se había fundado en Bolonia desde principios del siglo XII, y en la época de Dante era ya famosa por su calidad académica, por lo que acudían a ella jóvenes de toda Europa, llegando a tener hasta diez mil alumnos, lo que era una población estudiantil extraordinaria. En esta universidad se desarrollaban todas las áreas del conocimiento, pero se ponía especial atención en la enseñanza del Derecho, cuestionando la jurisprudencia medieval y recuperando lo esencial del Derecho Romano, particularmente los códigos de Justiniano. Pero esta orientación liberal de los *Studi* no siempre era bien vista por la Santa Sede, así que cuando el Papa tomaba suficiente poder clausuraba estas instituciones, lo que no causó el efecto deseado, que era la represión de una cultura no católica, pues cuando se le cerraba en Bolonia se reabría a modo de filial el otras ciudades italianas, siendo particularmente famosas las *Studi* de Parma y Nápoles, instituciones que conservaban la orientación y los planes de estudio de la escuela de Bolonia, a la que llamaban, con justicia, *Mater studiorum.*

Al completar sus estudios en Florencia, y careciendo esta ciudad de una escuela superior, la familia de Dante decidió enviarlo primeramente a la universidad de Padua, para una preparación previa, y de ahí a Bolonia, donde completó los estudios de Derecho Civil, Derecho Canónico, Teología, Filosofía Moral y Filosofía Natural, además del tronco común de las ciencias, que incluía las ciencias físicas y la medicina. Uno de sus biógrafos, Pietro Fraticelli, dice que con toda seguridad Dante aprendió durante su juventud todo lo que en aquellos tiempos se podía saber, lo que no podríamos considerar una exageración, dado que el joven erudito era reconocido por su talento y su gran dedicación al estudio, además de que tuvo la suerte de que le fueron dispuestas las mejores condiciones de desarrollo intelectual a las que se podía acceder en su tiempo.

En la bellísima ciudad de Bolonia completó sus estudios en derecho.

4

Una pasión prematura: Beatrice Portinari

La casa de los Alighieri se encontraba entre San Martino de Véscovo y Santa Margherita, y en una casa vecina habitaba la familia Portinari, quienes eran originarios de la ciudad de Fiésole, pero que se habían aposentado en Florencia desde una generación anterior y habían hecho fortuna. Como nuevos ricos, y además de origen forastero, se congraciaban con la sociedad florentina dando frecuentes fiestas con cualquier pretexto; así fue que se celebró una el primero de mayo de 1274, y a ella fue invitado el pequeño Dante, que a la sazón contaba con nueve años y que se había hecho amigo de Manetto Portinari, uno de los miembros de la familia que tenía más o menos la misma edad.

Tal vez la exactitud con la que se registró la fecha de aquella fiesta pareciera un dato trivial, pero no es así, pues ese día ocurrió un hecho que marcó para siempre la vida de un hombre que a su vez marcaría la historia, pues en esa ocasión el niño Dante vio a una niña de nueve años a quien llamaban *Bice*, apreciativo de *Beatrice* (Beatriz).

En esa ocasión Dante no habló con la niña Bice, no jugó con ella, no bailaron ni tuvieron ningún acercamiento; probablemente ella no se enteró de que había sido admirada por un niño tan especial que había entrado en un estado de éxtasis al verla, que jamás la olvidaría y que desde ese momento la había situado en su fantasía en las más altas esferas del cielo, a los pies de la virgen María, la propia madre del verbo encarnado, como la llegaría a colocar en su magna obra.

Aquella visión fue casi una experiencia mística, a partir de ese día la vida de Dante adquiere un sentido, pues en el fondo de su mente se establece un ideal que se concretiza en la figura de aquella niña angelical, Beatriz representa la belleza, virtud y pureza que el infantil caballero adopta como paradigma del más alto bien que un hombre puede conseguir, por ella, por la dama, vale la pena luchar y aun morir heroicamente, como el admirado ancestro Cacciaguida en las cruzadas, por ella la vida se renueva constantemente en el corazón y en la mente. La visión de aquella niña fue para Dante una profunda conmoción, una experiencia de amor desmesurado que al mismo tiempo lo fascina y lo aterroriza, como él mismo expresa en la *Vita Nuova*:

> *Se apareció delante de mí vestida de un nobilísimo color rojo, ataviada de la manera propia de sus pocos años: sencilla y honesta. En esos momentos, lo confieso con toda sinceridad, el espíritu de la vida que reside en la secretísima cámara del corazón, comenzó a agitarse en mí con horribles pulsaciones, y entonces, temblando, me dije a mí mismo: "He aquí un dios más importante que yo mismo, y desde ahora yo soy su vasallo."*
>
> *Desde ese instante, el amor se adueñó de mi alma, y ese amor comenzó a ejercer sobre mí, con absoluta seguridad, un dominio tal, por causa del poder que mi imaginación le concede, que me siento obligado a obedecer incondicionalmente a sus caprichos. Es este amor el que me obliga, de vez en cuando, a ver a ese pequeño ángel, y por ello, en mi simpleza infantil, yo iba muchas veces a merodear por los alrededores de su casa, y cuando la podía ver me parecía tan graciosa y amable, que bien hubiera dicho, repitiendo a Homero: "Ella no es la hija de un mortal, sino de un dios."*

Desde luego, la Beatriz de la Vida Nueva y de la Divina Comedia, que es la que se inserta desde aquella primera visión en el alma del poeta, no es un ser real, sino virtual o simbólico, que se convierte en una especie de arquetipo en la vida personal de Dante y en el personaje principal de toda su obra, ya sea de manera implícita o explícita; es por ello que la descripción de la dama real se vuelve vaga y difusa, pues un símbolo no puede tener una corporalidad, sino que está compuesto de una serie de elementos que también poseen un significado simbólico. Los poemas en los que Dante expresa el amor por su dama son radicalmente distintos de los de sus contemporáneos y maestros, como Guido Cavalacanti y Gino da Pistoia, quienes elaboran, con el mismo Dante, una nueva corriente de poesía amorosa que llaman el *dolce stil nuovo*, como veremos más adelante, pero ellos, a diferencia de Dante, dan a sus personajes rasgos mucho más concretos e imprimen en sus poemas un erotismo vital y ciertamente idealizado, pero no mágico o simbólico, como en la poesía de Dante, en donde la imagen de la dama se encuentra asociada con elementos que tienen un significado oculto o mágico, como es el caso de los números o los colores.

En su primer encuentro, la niña viste un traje rojo como la sangre, otros encuentros ocasionales parecen no tener significado esotérico, pero cuando se le presenta *nueve* años después, y en esa ocasión le concede un saludo lejano, ella se encuentra vestida del "blanco más puro y virginal", lo que le impresiona tanto que esa noche tiene el siguiente sueño:

> *Me parecía ver en mi aposento una nube del color del fuego, dentro de la cual distinguía la figura de un hombre cuyo aspecto me producía un gran temor. En sus brazos me pareció ver que había una persona que dormía y estaba prácticamente desnuda, pues solamente la cubría un velo de color encarnado; yo la miraba atentamente y finalmente me daba cuenta de*

que ella era la señora que el día anterior se había dignado saludarme; pero el hombre traía en una mano una antorcha ardiendo, y entonces me pareció que profería estas palabras: "Vide cor tuum" (mira tu corazón). *Así permaneció algún tiempo, hasta que me pareció que despertaba la durmiente, y entonces el hombre le hacía comer aquella cosa que ardía en su mano, pero ella se resistía.*

Esta narración en prosa es mucho más explícita que el soneto en el que se alude al mismo sueño y que aparece en la Vita Nuova, como veremos más adelante, donde se convierte en una abstracción que es poco asequible para el lector. Por lo que se refiere a la numerología, tal parece que era una especie de juego cabalístico que servía al poeta para explicarse sus propias experiencias y darles una estructura racional. Uno de sus descubrimientos respecto de su experiencia con Beatriz es una especie de sincronía que coincide con el número nueve, lo que hace que aquel encuentro adquiera una especial sacralidad, como un misterio que tuviese una significación metafísica y que se identifica de manera reiterada con el número nueve, lo que es interpretado por Dante, ya adulto, como una ratificación del misterio de la trinidad y la presencia del milagro en su vida, como lo expresa en el siguiente texto:

Dado que, según Tolomeo y la verdad cristiana nueve son los cielos que se mueven, y según la común opinión de los astrólogos, dichos cielos influyen en el mundo según su recíproca situación, el número nueve da a entender la confluencia de todos los elementos del orden celestial en la creación del mundo. Esta es la razón principal, aunque pensando con mayor sutileza, y de acuerdo a la inefable verdad, tal número es la verdad misma, lo que, si se entiende como una similitud, podemos deducir que el número tres es la raíz del nueve, pues ningún otro número, multiplicado por sí mismo, hace nueve; claramente vemos que tres veces tres hacen nueve. Por tanto:

si el tres es por sí mismo factor del nueve, y el factor de todo milagro es por sí mismo el tres, es decir, Padre, Hijo y Espíritu Santo, los cuales son tres y uno, esta dama se manifiesta siempre en el número nueve para dar a entender que ella misma es un nueve, esto es, un milagro cuya raíz es precisamente la admirable Trinidad. Tal vez una persona más sutil vería en ello una razón más elaborada, pero esto es lo que yo veo y lo que más me satisface.

Fácilmente podríamos conjeturar que la presencia de Beatriz en la vida del poeta es más bien virtual y simbólica pues, aparentemente, él mismo evadía cualquier tipo de relación concreta, ya que de esa manera se protegía de la desacralización de aquella figura angelical que debía permanecer en el terreno de lo mágico para no perder su condición de símbolo.

Beata Beatriz, cuadro de Gabriel Rossetti.

5

Beatriz real y poética

Muy poco se sabe de las verdaderas relaciones de Dante con Beatrice Portinari, tal parece que nunca llegaron siquiera a dirigirse la palabra; se dice que ella solamente lo miraba burlona como hace cualquier chiquilla con un tímido estudiante que no puede evitar el sonrojo en su presencia, seguramente una chica que ve esa reacción entiende o intuye que el muchacho se ha enamorado de ella y la idealiza en sus fantasías, pero seguramente Beatrice Portinari no imaginó nunca la capacidad idealizadora de aquel muchacho taciturno, y que el nombre de ella sería ligado al de uno de los más grandes poetas de la historia.

Los únicos comentarios que tenemos de algunos detalles de su relación con Beatriz aparecen en la Vita Nuova, donde se hace el relato de cierta ocasión en la que el joven poeta se encontraba en una reunión campestre, donde se toca el tema de sus hipotéticos amoríos:

> *Muchas personas habían comprendido el secreto de mi corazón solamente por mi aspecto, pero ahí se encontraban varias damas, solazándose unas con otras, y todas ellas se habían dado cuenta de mis sentimientos, por haber presenciado muchos de mis sobresaltos; entonces una de ellas, que tenía un modo de hablar muy gracioso, me llamó a la presencia del grupo; después de cerciorarme de que no se encontraba entre*

ellas mi gentilísima amada, las saludé preguntándoles qué deseaban de mí.

Aquel grupo estaba compuesto de muchas mujeres; unas reían entre sí y las otras me miraban con intensidad, como esperando que yo hablase; finalmente una se decidió a hablarme directamente, y, llamándome por mi nombre, dijo:

—¿Cómo es que tú amas a esa dama si ni siquiera puedes resistir su presencia?... Por favor dínoslo, pues ciertamente el fin de semejante amor debe ser muy interesante.

Cuando hubo dicho estas palabras, no solamente ella, sino todas las demás se pusieron a mirarme, pues esperaban una respuesta. Entonces yo les hablé de este modo:

—Señoras, el fin de mi amor es solamente obtener el saludo de la dama a la que ustedes se refieren, pues en ello se cifra mi felicidad y se colman todos mis deseos. Pero como ella se niega a saludarme, mi amor ahora cifra toda su dicha en algo que no me puede ser arrebatado.

Después de escucharme se pusieron a charlar entre ellas, y después de un rato, la primera que había hablado se dirigió a mí:

—Te rogamos que nos digas en qué consiste tu nueva dicha

Y yo les respondí:

—En las palabras de alabanza que le prodigo.

Y ella repuso:

—Si es así como dices, todo lo que has escrito para dar a conocer tu desdicha, deberías haberlo dedicado a ese propósito.

Entonces me retiré, meditando en lo que acababa de oír; y me iba preguntando por el camino: "si encuentro tanta felicidad en las alabanzas de mi amada, ¿por qué no ha sido éste mi lenguaje siempre?" Desde entonces determiné tomar por motivo de conversación cuanto fuese en elogio de la gentilísima señora.

En cierta ocasión fue invitado a una boda, a la que asistió sin saber que ahí encontraría a Beatriz. Cuando estuvo en presencia de su amada fue tanto su estupor que todo su cuerpo temblaba y estuvo a punto de perder el conocimiento, tanto que tuvo que recargarse en un muro para no caer; entonces concentró toda su vitalidad en su mirada, para no desvanecerse. Sobre esto nos dice:

> *Algunas mujeres que se habían dado cuenta de mi transformación se extrañaron al principio, pero después se reunieron con mi gentilísima y hacían burla de mí. Entonces el amigo que me había invitado me tomó de la mano y me condujo fuera de la vista de aquellas damas, preguntándome qué me sucedía. Después que me tranquilicé un poco le dije que me había sentido desfallecer, y al poco tiempo me despedí de él para ir a mi casa y refugiarme en mi habitación, donde me puse a llorar y a decir para mis adentros: "Si esa mujer se diera cuenta de mi condición, no creo que fuese capaz de burlarse de mi persona; por lo contrario, me trataría con piedad". Y así, mientras lloraba, me propuse decir algunas palabras en verso, hablando de ella y significándole la causa de mi transfiguración, y para manifestarle también que para mí era claro que ella ignoraba esa causa, pues de serle conocida seguramente se inclinaría a compadecerse de mí. Entonces comencé a escribirle un soneto:*
>
> *Lleva Amor en los ojos mi señora,*
> *con lo que ennoblece todo cuanto mira;*
> *todos se vuelven al pasar, e inspira*
> *temor al que saluda, y le enamora;*
> *pues, bajando los ojos, en tal hora*
> *por sus defectos, pálidos suspiran;*
> *huyen delante de ella orgullo e ira.*
> *A honrarla, damas, ayúdenme ahora.*
> *Todo dulzor y humilde pensamiento*
> *nace en el corazón que hablar la escucha,*
> *y quien la ve primero es alabado.*
> *Decir o recordar es vano intento,*
> *pues al mostrarse sonriente*
> *es milagro gentil e inusitado.*

...pero de pronto me asaltó un pensamiento tenaz: "¿Por qué si llegas a tan risible estado cuando estás delante de esa mujer, aprovechas cualquier ocasión para verla? Y si acaso ella te interrogase, ¿qué le contestarías, suponiendo que en esas circunstancias fueras dueño de tus facultades?"... Y otro pensamiento sucedió a éste:

"Si no se apocara tanto mi ánimo y me viese en libertad de poder contestar, le diría que en cuanto me pongo a considerar su admirable belleza, me llega un anhelo tan grande de verla que destruye y aniquila en mi memoria todo aquello que pudiera oponerse a este deseo, y no son los pasados afanes obstáculo ninguno para que anhele tanto su presencia".

Cabe mencionar la estrategia que sigue el joven poeta enamorado para evitarse la pena de caer desmayado frente a su amada, y que es el "concentrar toda su fuerza en la mirada"; esta estrategia, que es una especie de mecanismo de defensa, se repite constantemente en la Divina Comedia, cuando Dante es guiado por Beatriz por los diferentes ámbitos del Paraíso, que no podrían ser sino nueve; en esos mundos supranaturales Dante recurre muchas veces a la fijación de la mirada para no perder el control de sí mismo delante de su señora, como él la llama, pues la impresión que le causa su presencia es apabullante, además de que su encanto aumenta a medida que ambos ascienden por los diferentes cielos, llegando al punto en que ella prefiere sonreír de una manera mesurada, pues sabe el daño que una sonrisa franca y directa causaría al poeta peregrino; también debemos decir que es la mirada de Beatriz la que transporta a Dante de una a otra de las esferas celestes, lo que da cuenta del gran poder que el poeta le atribuye a esa mirada que penetra hasta el fondo de su alma, y lo mismo puede destruirlo que transportarlo a la más excelsa felicidad.

Aunque Dante no hace referencia alguna al hecho, hay que decir que Beatriz contrajo matrimonio en su temprana juventud con un caballero llamado Simón de Bardi, lo que parece que no cambió en nada la imagen que de ella tenía en su mente el secreto amante, lo que también coincide muy bien con los ideales de la caballería, en los que nada importa que la dama pertenezca de manera formal y carnal a otro hombre, pues el caballero la considera suya espiritualmente y el vínculo es indisoluble, pues se extiende incluso más allá de la muerte, cual es la fantasía del Dante. Sin embargo, se piensa que el matrimonio de su señora lo afectó considerablemente, y que una de sus razones para ir a estudiar a Padua y Bolonia fue precisamente la necesidad de alejarse por un tiempo de Florencia.

Como de lo anterior se puede deducir, la presencia de Beatriz en la vida del Dante es un hecho poético más que una realidad objetiva; el amor de Dante es una elección íntima y personal, aunque haya sido vivenciada como un

Dantis amore, cuadro de Gabriel Rossetti.

hecho de fascinación casi sobrenatural; desde su primer encuentro Dante descubre un conjunto de imágenes en su interior que pudieran conducirlo a un estilo de vida que se acerque a lo heroico, asumiéndose como una nueva encarnación de algún antiguo caballero capaz de adoptar un ideal como razón de vivir; en este sentido Dante es como un Quijote que ubica su espíritu en un pasado que se imagina glorioso, en el que el honor y la dama se valoran por sobre todas las cosas; tal vez el tatarabuelo Cacciaguida, que era también uno de sus nombres, estaba presente en el fondo de su mente cuando vio por primera vez a la gentil niña que habría de llevarlo a una nueva vida.

6

La *vita nuova*

Para muchos, este libro es más una novela autobiográfica que una obra poética, lo que no carece de razón, pues aquí es donde Dante, apenas saliendo de su juventud, hace una reconsideración de sus experiencias y presenta una antología de las rimas que le parecen más significativas respecto de su pasado, lo que se presenta como una retrospectiva necesaria para construir una "nueva vida" que, por supuesto, está por comenzarse a vivir; pero veamos, sucintamente, el argumento de esta obra:

Dante dice que el primer encuentro con Beatriz sucede cuando ambos tienen nueve años, pasa algún tiempo, y cuando la ve por segunda vez, aunque esto fue furtivo y momentáneo, le inspira la siguiente rima:

A toda alma cautiva y amador
corazón, a quien dedico el decir presente,
porque decirme su opinión intente
salud en su señor, que es el Amor.
Casi terciadas ya las horas, por
el tiempo en que todo astro es reluciente,
se me presentó el Amor súbitamente,
cuya esencia me horroriza recordar.
Alegre Amor me apareció oprimiendo
mi corazón, y en brazos sostenía

a mi dama, bajo un velo durmiendo.
La despertó, y el corazón ardiendo
humilde y temerosa se comía,
y él lloraba al estarse yendo.

Este soneto es la paráfrasis poética de un sueño que tuvo el Dante a raíz del segundo encuentro con Beatriz, que ya hemos comentado, y fue su entrada al mundo de los intelectuales y poetas florentinos, pues fue el primero que se atrevió a difundir, tal vez por considerarlo ya una obra madura, lo que realmente fue considerado de esa manera, tanto que causó una gran impresión en el insigne poeta Guido Cavalcanti, quien a partir de entonces se convirtió en su amigo, introduciéndolo en los círculos de los escritores más connotados del momento, muchos de los cuales cultivaban la poesía amorosa, en la que se inserta la Vita Nuova.

Después de aquel sueño al que alude el soneto, el poeta cimentará su dicha en el recibir un simple saludo de su amada, pero pondrá una gran atención en que no se descubra su secreto amor, antes bien, fingirá que es a otra dama a la que dirige sus amorosos dardos, todo con tal de no lastimar la sensibilidad de su "gentil señora", a quien parece molestarle el que no sea ella la musa inspiradora del poeta, por lo que de pronto le niega el saludo, o una simple mirada de condescendencia, lo que más que desanimar al poeta lo anima a jugar el papel de amante desolado que finca su felicidad en un simple saludo de su señora, aunque más tarde su reflexión lo lleva a considerar que en adelante lo que más le importa es la expresión de alabanza a su amada, que lo lleva a la decisión de hablar siempre de Beatriz en su poesía, con lo cual se fija en su mente el ideal romántico que daría sentido a su vida y por supuesto a su trabajo literario e incluso filosófico; afortunadamente la gentil dama perseveró en su actitud de no saludarlo ni sonreírle, pues si así lo hubiera hecho, todo aquél mito trágico que el joven había elaborado en sus cavilaciones se hubiera venido abajo y es poco probable que él se hubiera entregado a esa "vida nueva" que condujo a su imaginación hasta las profundidades del infierno y las alturas del paraíso.

Poco después de que escribe el primer soneto dedicado a Beatriz muere el padre de ella, y al poco tiempo el propio Dante sufre una seria enfermedad en la que llega a delirar por la fiebre, y es precisamente en el noveno día de sus fiebres que aparece en su mente la obsesión de que Beatriz podría morir pronto, y dentro de esa obsesión experimenta un sueño en el que vive en medio de grandes cataclismos, se oscurecen las estrellas y una gran cantidad de pájaros caen muertos a tierra, todo eso por efecto de que un amigo le anuncia la muerte de Beatriz, señalándole que todos los ángeles del cielo se preparan para recibirla.

En otro sueño, el poeta cree ver a Beatriz que es guiada en el otro mundo por una mujer llamada Juana, y en su interpretación Dante reconoce la analogía con el relato de Juan el Bautista, que es el predecesor del Cristo. La fecha de estos sueños podría ser el año de 1290, dado que el poeta los considera premonitorios, y más tarde alude a la muerte real de su amada Beatriz, en este año en que aparece el nueve, siendo el noveno mes, según el calendario sirio, señalamientos estos de gran importancia para Dante, pues para él estas aparentes coincidencias tenían el valor de sincronías altamente significativas, sobre todo el hecho de que su amada haya entrado en la vida eterna por la puerta que le correspondía, que era la marcada con el número nueve, que, como ya hemos comentado, representaba para él la verdad suprema, la esencia del Dios uno y trino, que se multiplica por sí mismo para manifestarse por la potencia del nueve. Basándonos en las fechas que señala el propio Dante, Beatriz muere a los veinticuatro años de edad, que serían los mismos del poeta.

A la muerte de Beatriz él entra en un periodo de profunda melancolía, durante el cual se da cuenta de que hay una mujer que lo observa con frecuencia de manera subrepticia y que parece compadecerse de su dolor, Dante llega a pensar que esa mujer es una manifestación real del Amor, y que es enviada para que su vida encuentre cierto reposo y solidez; pero al mismo tiempo se resiste a la aceptación de un amor mundano, pues esto sería como una traición al amor trascendente de su señora difunta.

Dante relata que un feliz día, a la hora nona, se presentó en su imaginación su amada Beatriz, vestida de rojo como la primera vez, lo que le indica que debe renunciar a cualquier otro amor para entregar su alma por completo a su gloriosa señora. Poco tiempo después, unos peregrinos que llegan a Florencia para contemplar el manto de la Verónica y a Dante se le ocurre la también peregrina idea de preguntarles si acaso ellos tendrían noticias de Beatriz, lo que ya se acerca a la insanía.

Dante termina esta obra anunciando que ha tenido una nueva visión, pero que prefiere no dar cuenta de ella por ahora, pues de ahora en adelante deberá prepararse con mucho cuidado para que, "si ello place a Dios", decir de Beatriz "lo que jamás se ha dicho de mujer alguna."

Es bastante lógico suponer, como lo han hecho muchos comentaristas, que en esos tiempos ya se estaba gestando la *Commedia* en la mente del Dante, en cuyos rasgos generales el poeta veía algo totalmente diferente de la poesía amorosa con la que construye la Vita Nuova, misma que el propio autor llega a considerar casi como un error de juventud, en tanto que es básicamente una continuación de la poesía trovadoresca, que en sí misma es una especie de seudoreligión o mística alternativa, pero que aparentemente entra en contradicción con la fuerte orientación cristiana que se va desarrollando en Dante con los años, y tal vez por efecto de sus estudios teológicos, por lo que la Beatriz de la Vita Nuova es en esencia distinta de la Beatriz de la Commedia, a pesar de ser siempre un ideal, un símbolo, y la expresión de un amor más allá de la medida humana, lo que puede conducir a la heroicidad, como en la tradición caballeresca, aunque eso es algo limitado e insuficiente para la salvación del alma; sin embargo, el mismo amor hacia la dama puede ser sacralizado, elevado al terreno de lo metafísico, y de esa manera la propia dama, y más bien lo que ella representa, puede ser un vehículo de salvación, tal como se presenta en la Divina Comedia, donde es por intercesión de Beatriz que el poeta puede salir de su "selva oscura" y alcanzar la visión beatífica, lo que se parece mucho al culto *mariano*, que es la adoración de la virgen María, concebida como la madre salvadora. Este modelo de interpretación de la Vita Nuova puede muy bien explicarnos la razón de la transposición simbólica de la persona de Beatriz, tanto en lo que se refiere a los colores como en la numerología, puesto que Beatriz no es en realidad una mujer, no es simplemente una dama virtuosa que representa un ideal, como en la poesía trovadoresca, Beatriz es la expresión misma de la verdad eterna, que es representada por el ser que es uno

Sueño de Dante a la muerte de Beatriz, cuadro de Gabriel Rossetti.

y trino, y que al multiplicarse se convierte en nueve, que es la materia misma, pero que es capaz de dar a luz al hijo de Dios, es María, la madre, y también es Beatriz, cuya esencia es la gestación de la luz; su capacidad generadora puede hacer que se encienda la luz en el alma a oscuras, para que ésta pueda salvarse y acceder a una nueva vida.

7
Il fiore

A pesar de la manera religiosa como Dante asumió la muerte de Beatriz, tal parece que el duelo fue más profundo y largo de lo que él mismo da a entender en la Vita Nuova, sus biógrafos coinciden en que a partir de su pérdida él padeció una severa crisis, lo que produjo serios cambios en su personalidad; tal vez es a esta crisis que se refiere en la Divina Comedia, cuando inicia diciendo:

Nel mezzo del cammin di nostra vita
Mi ritrovai per una selva oscura
Chè la diritta via era smarrita.

En medio del camino de nuestra vida
me encontré en una selva oscura
que del recto camino se apartaba.

Nunca dejará de ser un misterio para los intérpretes de la obra el por qué dice "nuestra vida", y no "mi vida", o simplemente "la" vida; hay quien dice que *nostra vita* debe entenderse en genérico, que es como decir "la mitad de la vida" de cualquier persona en aquellos tiempos, en los que la esperanza de vida no rebasaba los setenta años, por lo que muy bien podríamos considerar que el poeta se encontraba en la mitad de la vida a eso de los treinta años, lo que coincide con el largo periodo de duelo que siguió a la muerte de Beatriz, lo que debe interpretarse como en recrudecimiento de un estado melancólico que era propio de su carácter, pues desde niño fue retraído y taciturno.

Según sus propias declaraciones, para soportar el dolor que aquella pérdida le había producido, se dedicó por completo al estudio de la filosofía durante treinta meses, algo que no deja de ser curioso, dada su orientación hacia la magia de los números. Como es lógico, este periodo de estudios comenzó después de la muerte de Beatriz, en 1290, y duró por lo menos dos años y medio, pues se supone que comienza la Vita Nuova a finales de 1292 y la termina al año siguiente, fecha en que contrae matrimonio con Gemma Donati y, aparentemente supera aquel duelo, pero entra en un periodo de descomposición moral que afecta sus relaciones con sus amigos, en especial con Guido Cavalcanti, que había sido su preceptor y a quien incluso había dedicado su Vita Nuova; por alguna razón, Cavalcanti, ya cerca de su muerte, en el año 1300, escribe este soneto dedicado a Dante:

Al día voy mil veces a tu lado
y te encuentro pensando muy vilmente;
me duelo entonces de tu gentil mente
y de tanta virtud que te ha dejado.
Entre muchos, te sentías siempre enfadado
huyendo siempre de molesta gente,
y hablabas de mí tan cordialmente
que cuanta rima hiciste he recordado.
Ya no me atrevo, por tu mala vida,
a decir que me agrada tu poesía,
ni voy a ti de modo que me veas.
Puede que este soneto aún leas,
y el mal espíritu que te acompaña
salga entonces de tu alma envilecida.

Nunca sabremos cuáles eran esas "vilezas" a las que se refiere Cavalcanti, aunque tal vez su muerte hizo reaccionar a Dante, pues es precisamente el año 1300 en el que se sitúa la trama de la Commedia, lo que da un mayor sentido a eso de la "selva oscura, que del recto camino me apartaba", por lo que es probable que esa metáfora no aluda a lo que ahora llamamos un estado depresivo, sino a una descomposición moral que aparta al poeta de su ideal originario, lo que se refuerza si consideramos que después de la Vita Nuova Dante escribe un poemario que realmente se aparta del camino antes andado, en un sentido literario, pero también ideológico, pues este es el periodo en el que escribe *Il Fiore*: "La Flor", que es un largo poema alegórico en el que se trata el tema del amor con algo más que ligereza, con procacidad.

Se ha considerado que esta obra está íntimamente ligada al *Roman de la Rose*, el "Canto de la Rosa", iniciado por Guillaume de Lorris y terminado por Jean de Meun en 1278. Esta es una de las obras más importantes de la baja Edad Media y representa una nueva postura respecto de los valores medievales, pues se da un tratamiento "profano" a los hechos de la vida, y en especial al amor mundano, que es aceptado como una realidad humana y como una forma de relación que está implícita en lo cotidiano, sin que de ello se generen mayores contradicciones morales; de hecho, es un libro erótico, lo mismo que La Flor, de Dante, en el que se desarrolla también el tema de la conquista amorosa con un cierto cinismo y una inusitada "inmoralidad", de acuerdo a los parámetros de la época. Esta obra también parece inspirada en *El arte de amar*, de Ovidio, el poeta latino que se considera el padre de la literatura erótica y más tarde de la picaresca, en tanto que el tratamiento lleva al humorismo y a la sátira, lo que necesariamente se convierte en un cuestionamiento de los valores vigentes, por medio de la reconsideración de la ética sexual, lo que en la Roma de Ovidio no era propiamente un escándalo, como en los tiempos de Dante.

En este poema se relatan las vicisitudes de un personaje que se enamora de una flor, que ha plantado *Cortesía* en el jardín de *Placer*; entonces se aparece el dios *Amor*, y el personaje, *Amante*, le pide que le ayude a conquistar a la flor. El dios le promete su ayuda, pero cuando Amante trata de acercarse a la flor aparece *Náusea*, que es el jardinero, y lo expulsa del jardín. *Amante* busca a *Amigo*, quien le da una serie de consejos galantes para lograr su objetivo. Aparece *Venus*, quien habla con *Buenaventura* para que intervenga a favor de *Amante*, entonces ella envía a sus servidores *Bellorostro* y *Dulcemirada* que hacen que *Amante* pueda visitar el jardín, que es custodiado por *Castidad* y *Celos*, quienes han puesto de guardia a *Miedo, Vergüenza* y *Malaboca*. *Amante* penetra subrepticiamente en el jardín y consigue besar a la flor, pero es descubierto por los guardias y expulsado. *Buenaventura* y la flor son encarceladas, pero *Amor* reúne a su ejército para rescatarlas. Entonces aparece un personaje importante, que es vasallo del dios *Amor* y se llama *Falsacara*; el parlamento de este personaje es muy significativo en la obra, porque en él se hace una crítica a la corrupción imperante y a la simulación en todos los medios, pues *Falsacara* se propone como el espíritu de la hipocresía que se encarna en los todos los roles sociales de la época:

De memoria me sé todo lenguaje,
pues las vidas del mundo yo he probado;
ya sea en cura o en fraile transformado,
en príncipe, en señor, en niño o paje.
Según lo que yo veo y lo que encaje,
a veces soy abad, y otras prelado;
los de la regla siempre me han gustado,
pues me oculto como zorro en su ropaje.
También romero he sido, y peregrino,
clérigo y abogado justiciero,
y fui monje y canónigo y beduino;
y he sido castellano y forastero
o bien joven o viejo mortecino;
en dos palabras: todo oficio tengo.

Al terminar el parlamento de *Falsacara*, los soldados del ejército del dios *Amor* asaltan el castillo, matan a *Malaboca* y ponen a la orden de *Buenaventura* a una vieja que hace el oficio de intermediaria, y es como un antecedente de la Celestina; ella lleva a la flor los regalos de *Amante* e intercede a su favor, además de que esta vieja expone con toda naturalidad su filosofía licenciosa, como se muestra en el siguiente soneto:

Yo te diré, si quieres un amigo,
que a ese joven, tan guapo y atractivo,
que de joyas te hizo el presente
y hace tiempo que quiere estar contigo,
lo llegues a amar, pero también te digo
que no debes amarle con firmeza,
sino que, amando a otros, seas prudente,
que amor a uno no vale más que un higo.
De otros te buscaré yo buena hornada
y tú estarás de oro bien dotada
y ellos con el alma traspasada.
Si tú me escuchas, y Cristo te da vida,
de armiño y marta te verás forrada
y siempre con la bolsa guarnecida.

Finalmente la vieja consigue que *Amante* se entreviste con *Buenaventura*, pero los guardianes del castillo lo descubren y lo expulsan; se entabla una batalla con los guerreros de *Amor*, y el castillo es tomado con la intervención de Venus, con lo que triunfa *Amor*, y *Buenaventura* entrega la flor a *Amante*, con lo que sigue una descripción bastante explícita del desfloramiento de la doncella; el poema termina con una serie de expresiones de agradecimiento que *Amante* dedica a los que colaboraron en aquella empresa de conquista amorosa.

Resulta extraño que un poeta enamorado de un ideal, y cuya "vida nueva" se basa en la postulación del Amor con mayúscula, se ocupe con toda liberalidad del amor, con minúscula, tratándolo como algo mundano y de manera irreverente, además de que no es propio de un espíritu profundo y ciertamente egocéntrico, como el de Dante, el simplemente repetir un tema que se encuentra en boga, como si buscara la fama por la vía del "best seller", como se hace ahora.

Se sabe que en la época de La Flor, la conducta de Dante era por lo menos desordenada, si no es que francamente licenciosa, por lo menos para su familia y sus amigos de antes, pues en esa época se reunía con gente de mala reputación. Tal vez los excesos de este estilo de vida, aunados al largo duelo por la muerte de Beatriz, y a su natural carácter depresivo, lo llevaron a su "selva oscura", y a esa gran catarsis que desenvocó en la Divina Comedia.

La pérdida de su ideal romántico, Beatriz, dejo un gran vació en la vida de Dante.

8

La batalla de Campaldino

En 1289, los gibelinos de Arezzo se lanzaron en campaña contra Florencia con objeto de conquistarla para su causa, pues en esos momentos dominaba la corriente güelfa en toda la toscana; los florentinos se habían aliado con el rey de Nápoles, Carlos II y reunieron un ejército de tres mil infantes y ochocientos caballeros para reforzar las tropas del rey y repeler juntos la agresión de las fuerzas de Arezzo; uno de esos caballeros era el poeta Dante Alighieri, quien se había unido a ese ejército de manera voluntaria, en defensa de su patria.

El ejército aliado se pone en marcha y encuentra a las fuerzas aretinas cerca del pueblo de Campaldino, liándose en feroz batalla; finalmente resultaron triunfadoras las fuerzas florentinas y sus aliados. Este fue el primer hecho de armas del poeta, pero no fue el único, pues más tarde participó en la batalla de Caprona, en la guerra contra Pisa.

El episodio de Campaldino no fue muy comentado por el propio Dante, sin embargo, tal parece que fue un hecho muy importante en su vida, pues en la Divina Comedia, y sobre todo en el Infierno, aparecen muchos personajes que participaron en esta gesta o que se encuentran relacionados con ella.

Los conflictos que desembocaron en las batallas de Campaldino y Caprona, fueron la secuela de los cambios políticos que se gestaron en Arezzo y Pisa, en 1287-88, y que fueron golpes de estado en los que los güelfos, aliados de los florentinos fueron derrocados y severamente reprimidos, pasando el poder a los gibelinos en un ambiente de grandes conflictos políticos que Dante conoce e interpreta en un sentido humano, ciertamente trágico, e incorpora primero a su vivencia personal y más tarde elabora literariamente en la Divina Comedia, como es el caso del conde Ugolino, condenado a morir de hambre junto con sus hijos por el arzobispo gibelino Ruggieri; Dante encuentra al conde en uno de los círculos del infierno donde el tormento es el frío, éste se encuentra atrapado en el hielo y se dedica a roer el cráneo de su cruel enemigo, el arzobispo; Dante le pregunta por qué hace eso y Ugolino le cuenta la terrible tragedia del encierro junto con sus hijos e incluso sugiere que él llegó a practicar con los cuerpos de sus hijos lo mismo que ahora hacía con el Ruggieri.

En Arezzo fue también un obispo gibelino quien dirigió el golpe de Estado, lo que nos da la pauta para entender la veleidad de las relaciones políticas entre la iglesia y los partidos, y el oportunismo que también se señala en la obra de Dante, pues en esos tiempos las ideologías y las convicciones políticas se encontraban en proceso de dilusión. Era un hecho aceptado el que los güelfos apoyaban a la Santa Sede, pero también se identificaban con el pueblo bajo, creando ocasionalmente instrumentos de gobierno democrático que lesionaba los intereses de la Iglesia, por lo que los clérigos muchas veces se inclinaban por los gibelinos, que apoyaban a la monarquía y a los burgueses. A partir de estos movimientos se consolidó el poder conservador de los gibelinos en toda la región toscana, con el apoyo de los antiguos señores feudales y de la Iglesia, con lo que se precipitó la corriente democrática güelfa, representada por Florencia. Así se reunió una gran fuerza, al mando del obispo Guiglielmo Ubertini –entrevistado por Dante en el Purgatorio–, y desde su capital en Arezzo prepararon el ataque a Florencia, pero a partir de la batalla de Campaldino la situación cambió radicalmente. La participación de Dante queda consignada en algunas cartas y en el cuerpo de su obra, respecto de eso dice en la Vita Nuova: *Aunque me encontraba rodeado de numerosa compañía, me embargaba una gran tristeza por este viaje, que para mí era obligado, que ni los suspiros podían mitigar la congoja de mi angustiado corazón.*

En un pasaje del Infierno, alude a este episodio, diciendo:

Yo he visto alzar el campo a caballeros,
comenzar un asalto, hacer paradas;
y salvarse por pies los vi ligeros;
por vuestra tierra vi bandas armadas
de aretinos, y he visto justadores
chocar los escuadrones, y algaradas.

En una de sus cartas, Dante ofrece una descripción de su situación en esos momentos:

Todas mis tribulaciones y desdichas tienen su causa y su origen en el desgraciado cargo de mi priorato, aunque tal vez mi inteligencia no me hacía el más apropiado para el cargo, yo me sentía muy digno de ocuparlo, debido a mis creencias y a causa de mi edad, porque diez años antes yo no era ya ningún niño cuando participé en la batalla de Campaldino, en la que el partido gibelino fue aniquilado casi por completo; durante las diversas fases de la batalla pasé por un miedo atroz, pero al final me sentí henchido de alegría por el resultado.

Es claro que Dante no tuvo nunca un espíritu guerrero, y él nunca hizo énfasis en alguna forma de heroísmo que no fuera una expresión poética; incluso en la Divina Comedia él mismo se coloca en una posición de subordinación y tímido acatamiento de las órdenes de sus guías, tanto de Virgilio como de Beatriz, manifestando un cierto temor infantil que solamente podía ser manejado por la disposición enérgica de sus autoridades, ya que su propensión a la prudencia lo coloca en una condición de gran vulnerabilidad, lo que parece ser una constante de su vida real.

A pesar de su participación en la defensa de su patria, Dante era un auténtico pacifista, si hemos de atender a sus escritos filosóficos, inspirados en Aristóteles, en los que Dante expresa su convencimiento de que la humanidad no podrá realizar su verdadero sentido si no es por medio de la negociación democrática y la colaboración pacífica.

Vista de la colina de Campaldino, donde se libró la célebre batalla.

9

Gemma Donati

Como hemos dicho, a partir de la muerte de Beatriz, y durante treinta meses, Dante se dedicó a los estudios filosóficos, lo que parece tener un especial significado, si hemos de atender a la precisión del número treinta, y a la disposición obsesiva con la que el poeta asume este periodo de peculiar aislamiento, lo que parece tener un efecto positivo, pues poco a poco el poeta se va reincorporando a la sociedad, con base en el prestigio que le da su condición de refinado literato y con ayuda de sus amigos.

Desde mucho tiempo atrás, él notaba que una joven vecina lo miraba con un aire compasivo, lo que ya había sucedido desde el momento de la crisis por la muerte de Beatriz, sin que ello causara mayor efecto en el ánimo de Dante; pero ahora, su apertura frente al mundo le permitía percibir con mayor claridad lo que antes le parecía vago y difuso; lo que puede corroborarse en el siguiente testimonio:

> *Ocurría, pues, que esta joven me veía, y tomaba un aspecto de gran piedad y ternura, y luego palidecía como si fuera por efecto del amor, lo que a veces me recordaba a mi nobilísima señora, la que de idéntica manera y color solía mostrárseme. Y me llegaba a suceder que al no poder llorar y desahogar mi tristeza, yo salía a la calle con la esperanza de encontrar a esta*

bondadosa joven, la cual hacía que las lágrimas aparecieran en mis ojos con su sola presencia.

...Y llegó a tanto la costumbre de ver a esta bondadosa joven, que mis ojos comenzaron a deleitarse con su aspecto; entonces comencé a pensar que se trataba de una mujer joven y gentil, hermosa e inteligente, quizá puesta en mi camino para que mi vida tuviera un cierto reposo; así que comencé a pensar en ella de manera cariñosa, pues mi corazón hacía eco a mis razonamientos.

Pero tal parece que la figura de Beatriz se interponía constantemente en la imaginación del poeta, obligándolo a librar fuertes batallas en su interior:

...Me parecía ver a la bellísima Beatriz, con aquel trae rojo que portaba el primer día en que la vi, y que tenía la misma edad que entonces.

Observando la condición anímica del poeta, su familia y amigos intervinieron para que se diera una relación entre aquella compasiva dama y el indeciso poeta, lo que no fue una empresa fácil, pues él se resistía a cambiar un amor sobrenatural por uno doméstico y natural; sin embargo, triunfó la insistencia, y el matrimonio se llevó a cabo a mediados de 1293.

Para saber un poco más de aquella misteriosa y compasiva muchacha, escuchemos lo que nos dice el cronista Balbo:

La esposa del Dante se llamaba Gemma y era hija de Manetto dei Donati, miembro de una familia ilustre y de antiguo linaje, de la que por aquel entonces era jefe Messer Corso, quien fue general del ejército aliado en la batalla de Campaldino, y quien se convirtió en jefe del partido y casi dictador de Florencia; con el tiempo él llegó a ser uno de los más encarnizados enemigos del poeta.

Muchos biógrafos coinciden en que la pareja no llegó establecer un fuerte vínculo, aunque parece que no eran del todo indiferentes, pues en los primeros ocho años de matrimonio procrearon los siguientes hijos: Pietro, Jacopo, Gabriello, Alighiero, Eliseo, Bernardo... y finalmente llegó la niña, que obviamente se llamó Beatriz.

Corso Donati no era el padre de Gemma, pero sí el patriarca de la familia; desde los primeros años del matrimonio, y por causas desconocidas, aunque probablemente políticas, se dio una fuerte enemistad entre Corso y Dante, tanto que cuando el poeta fue nombrado prior de la ciudad, condenó al destierro a Corso; pero cuando éste pudo regresar por sus fueros y logró un gran poder, cobró venganza y a su vez desterró a Dante, lo que para él fue una verdadera desgracia. Sobre estas costumbres represivas nos dice Ugo Fóscolo:

> *Aún bajo cierta estructura democrática, las familias se organizaban en función de los antiguos esquemas feudales. Viviendo en pequeñas repúblicas, los miembros de una familia se aglutinaban en torno de un jefe, quien ejercía una autoridad absoluta, de ahí que el Estado era más bien una federación de familias que un conjunto de individuos con categoría de ciudadanos, así que las discordias políticas eran básicamente discordias familiares, y el poder no se fundamentaba en ideas o en teorías, sino en la prepotencia de las familias.*
>
> *Los hombres seguían teniendo autoridad sobre las mujeres que salían de su "consorcio", y las protegían según su propio criterio. Si una mujer quedaba huérfana, viuda, o era abandonada, quedaba bajo la protección del consorcio. El Jefe de la familia Donati era Corso, y él fue siempre enemigo irreconciliable de Dante.*
>
> *Habría que entender la situación de Gemma en la guerra política que se desarrollaba en su derredor, pues ella estaba condenada a vivir angustiosamente entre dos familias que se*

odiaban: los Alighieri y los Donati, pues en una era esposa y madre, mientras que en la otra era hija y hermana.

Se ha dicho que Dante no menciona a su esposa en la Commedia en razón de los sinsabores que le causó Corso Donati; pero, ¿qué decir de sus propios hijos?, ¿de su padre?, ¿y de la madre que con tanto mimo lo educó?, ¿y del hermano que con tanto cariño lo cuidó en sus años infantiles? ¿Acaso a ellos los ha citado en el poema? Después de Beatriz, ninguna mujer es considerada por él con más afecto que Piccarda y Nella, hermana y esposa respectivamente de Forese Donati, y a Forese mismo le dedicó una amistad sólo comparable a la que le tuvo a Guido Cavalcanti.

Después de que Gemma hubo visto la destrucción de su hogar por culpa de su propia familia, y se hubo amparado con sus hijos bajo la tutela de Corso Donati, seguramente hallaría inicuo el obligar a su esposo a una gratitud que le resultaría imposible, solicitando el indulto del poeta precisamente ante quien era su peor enemigo.

Mucho se ha hablado de la ingratitud de uno y otro cónyuges, de Gemma la hostilidad que se le atribuye, y el no solicitar el indulto de su esposo ante su poderoso protector, y de Dante el no hacerse cargo de su familia en el destierro, y el desapego que aparentemente manifiesta al no mencionar a su esposa y a sus hijos, reproche éste que no resulta válido al referirse a sus obras literarias, pero que tendría que tomarse en cuenta al analizar sus comunicados personales.

10

Dante y la política

Florencia tuvo siempre una gran vocación republicana y democrática, en algunas épocas más, y en otras menos, todos los ciudadanos tenían representación en los órganos de gobierno, la orientación güelfa de la administración pública promovía esa representatividad por medio de los *gremios*, que eran asociaciones de ciudadanos a partir de sus profesiones y oficios; es digno de mencionarse aquí que el sindicalismo moderno tiene su raíz en la Italia medieval, y particularmente en Florencia, donde se desarrolla el concepto de las "uniones de pares" para la defensa de sus intereses y más que eso, pues los gremios de hecho –y a veces solamente "de jure"–, eran parte del gobierno y tenían capacidad de decisión por medio de sus representantes, llamados *priores*.

En la época de Dante los gremios se encontraban divididos en tres categorías: Las "artes mayores", que agrupaban a oficiantes que ahora nos parecerían disímbolos, como jueces, notarios, tejedores, médicos, comerciantes, farmacéuticos, curtidores, banqueros y cambistas; pero también pintores y "cultivadores de la filosofía".

Las artes "medianas" eran ejercidas por carniceros, zapateros, cerrajeros, albañiles, y todos aquellos que hacían negocios con artículos usados.

En las "artes menores" se incluía a los taberneros, hosteleros, vendedores de calzado, vendedores de armas, de leña o de pieles, herreros y panaderos.

Por cada tipo de arte se elegían dos priores, de manera que el número de participantes gremiales en el gobierno era de seis, y se elegían democráticamente en las asambleas gremiales, además, de las filas de los gremios salían las propuestas para los cargos públicos que no necesariamente eran de elección popular, pero que representaban un vínculo político con el gremio y una punta de lanza en el gobierno. Por instancias de sus amigos, en 1295 Dante se inscribió en el gremio de los "médicos y especiales", por supuesto correspondiente a las artes mayores, aunque esta actividad nada tenía que ver con la verdadera ocupación del poeta, pero hay que considerar que él había hecho estudios de medicina en Bolonia, además de sus estudios humanísticos, lo que le daba un nivel de preeminencia entre sus compañeros, tanto que en noviembre de ese mismo año formó parte del *Consejo del Capitán del Pueblo*, cargo que dejó en abril de 1296, para formar parte del Consejo de "sabios" que asesoraban a los gremios para la elección de priores.

El poder ejecutivo residía en los priores; el poder legislativo se dividía en tres consejos: el *Consejo del pueblo*, el *Consejo de los capitanes*, y el *Consejo del Podestá*, quien era, por lo menos en términos formales, el equivalente al presidente de la república florentina. También existía un conjunto de organismos de consejería para el auxilio del podestá y de los priores, que participaban solamente en asuntos extraordinarios y de trascendencia colectiva, por lo que eran elegidos directamente por el pueblo, estos consejos eran de dos tipos *colegas* y *gonfaloneros*, equivalentes a los diputados y senadores, respectivamente. Toda propuesta de ley debía ser discutida por los priores con los miembros de estos organismos auxiliares, antes de pasar a los consejos regulares.

Dante participó ocasionalmente en todos estos consejos, volviéndose políticamente indispensable para tratar asuntos de importancia, lo que aumentó grandemente su prestigio como hombre público, pero también fraguó su desgracia, como veremos enseguida.

El entramado político que dio lugar al inexorable destierro de Dante, comenzó desde 1292, cuando murió el Papa franciscano Nicolás IV, dejando un vacío de poder que no pudo llenarse de inmediato, debido a que las fuerzas políticas dentro del mismo Vaticano se encontraban tan equilibradas que la balanza no podía inclinarse a favor de nadie, las luchas y deliberaciones duraron más de dos años, hasta que terminaron por una elección relativamente inocua para todos, pues pusieron su atención en Pietro de Murrone, un franciscano radicalmente espiritualista que vivía en estado ascético y que tenía fama de santo, pues por medio de la contemplación pretendía establecer en el mundo un modo de gobierno secular que fuese inspirado directamente por el Espíritu Santo. Como en aquellos tiempos la Iglesia había caído en un estado de corrupción que rayaba en el escándalo, la idea de una renovación moral, centrada en la figura de un hombre "santo", resultaba muy conveniente, pues por un lado se daba la impresión de un cambio positivo y por otro lado se ganaba tiempo para redefinir las estrategias de acceso al poder y desanudar la maraña política que se había formado a causa de tantos intereses encontrados.

Así que Pietro fue sacado de su cabaña en las laderas del monte Maiella y elegido Papa, haciendo su entrada triunfal en Roma, en 1294, a lomos de un asno, para manifestar su humildad, además de que el asno era llevado nada menos que por Carlos II de Anjou, rey de Nápoles, y por su hijo, Carlos Martel.

El nuevo pontífice tomó el nombre de Celestino V, y comenzó a ejercer su altísimo cargo, bajo los auspicios y la asesoría de los Anjou, y en especial de un cardenal llamado Benedicto Caetani, quien comenzó una labor para encaminar al nuevo pontífice hacia los intereses suyos y de su grupo, y cuando ya consideró las cosas maduras se dedicó a presionarlo para que abdicara de su pontificado, se dice que incluso ponía en escena visiones y voces fantasmales durante la noche, para manipular al ingenuo Papa y orillarlo a la abdicación, lo que ocurrió en diciembre de 1294, y a finales de ese mismo mes el propio Caetani era ya el nuevo pontífice, con el nombre de Bonifacio VIII. Una de sus primeras medidas fue el encarcelamiento de Murrone, su predecesor, aunado a una campaña para desactivar el movimiento espiritualista de la orden franciscana, de la que era representante el Papa saliente.

Las ambiciones de Bonifacio VIII iban más allá de la jefatura de la Iglesia, pues a pesar de que era aliado de los Anjou, en esos momentos nadie ejercía un poder imperial, por lo que el pontífice podría llegar a centralizar toda for-

El ascenso al poder del Papa Bonifacio VIII, desató una serie de eventos que repercutirían directamente en la vida de Dante.

ma de gobierno con base en la Santa Sede, y con el propio Bonifacio como Papa y emperador al mismo tiempo.

Como uno de los principales intereses de Bonifacio era el dominio de la rica región toscana, envió como embajador al cardenal Mateo de Acquasparta, con objeto de que mediara entre las dos corrientes güelfas que en esos tiempos se encontraban en pugna, lo que se conoce como la lucha entre los "blancos" y los "negros", los primeros liderados por la familia Cerchi, y los segundos por quien era prácticamente el suegro de Dante: Corso Donati.

En medio de esa tormenta política Dante fue elegido prior y de inmediato apoyó las gestiones diplomáticas del cardenal; pero la situación se agravó cuando varios sicarios al servicio de Corso Donati atacaron una procesión que supuestamente tenía solamente motivos religiosos y que era encabezada por el propio cardenal Acquasparta. Como una medida política, más que justiciera, el consejo de priores, entre los que se encontraba Dante, condenaron al destierro a los miembros más importantes de ambas facciones en pugna, lo que fue considerado una arbitrariedad por los blancos, que no habían participado en el atentado; hay que destacar el hecho de que entre esos blancos exiliados iba Guido Cavalcanti, quien se consideró traicionado por quien fuera su gran amigo, pues como ya sabemos él fue de los primeros que reconocieron la valía de la obra de Dante.

Cavalcanti ya no pudo regresar a Florencia, pues murió al año siguiente en Sarzana, víctima de la malaria. Dante volvería a conversar con él, pero en su fantasía literaria, y específicamente en el Infierno. En este momento también terminaría de ganarse la animadversión de otro de los grandes personajes exiliados: Corso Donati, quien sí pudo regresar y consumar su venganza en contra del poeta.

En su calidad de prior Dante no sólo perdió amistades y reforzó enemistades, sino que se ganó la animadversión del propio Papa Bonifacio, pues desafió su autoridad al ratificar una sentencia contra de tres banqueros florentinos que habían cometido un fraude y habían sido condenados a pagar una multa de 2,000 florines, bajo la amenaza de cortarles la lengua si no lo hacían; el Papa había pedido la anulación de la sentencia, pero le tocó en suerte a Dante el dirimir ese caso y él optó por lo que consideraba justo, aunque bien sabía el peso que tenía una "petición" papal.

La situación se agravó cuando Dante votó en contra de la petición del Papa de que la ciudad le proporcionase una guardia de cien hombres de armas para colaborar en la represión de una revuelta que había estallado en Aldobrandeschi. La posición de Dante fue derrotada en la asamblea, pero fue bien sabida por los representantes del Papa.

A finales de septiembre de 1301, la tensión política llegó a sus extremos ante los informes de que el oportunista Carlos de Valois pretendía hacerse cargo del gobierno de Florencia apoyado por Bonifacio VIII, en la persona de su representante, el cardenal Acquasparta. Dante se había convertido en un personaje importante para el gobierno en general, y en especial para la facción blanca, por lo que fue elegido, junto con otros dos, para ir a Roma en funciones de embajadores de la república florentina y precisar la posición del Papa. Bonifacio recibió a la embajada, les expresó su respeto y consideración, y envió de regreso a dos de sus miembros, reteniendo a Dante con cualquier pretexto, pues el plan ya estaba en marcha, y el primero de noviembre entró en Florencia, en calidad de gobernante, Carlos de Valois, apoyado y de hecho acompañado por los líderes de los güelfos negros que habían sido previamente desterrados, entre los que se encontraba el jefe Corso Donati, quien alentó a sus partidarios a cometer toda clase de desmanes para satisfacer sus deseos de venganza y manifestar su decisión de establecer un gobierno dictatorial.

La situación que encontró Dante a su regreso era totalmente distinta de la que había dejado, y de inmediato fue objeto de represión por el nuevo gobierno, pues se le acusó de malversación de fondos públicos, de extorsión, de corrupción, de obtención de ganancias ilícitas, de oposición a la Iglesia y de perturbador de la paz. El 27 de enero de 1302 se le condenó a pagar una multa de 5,000 florines, a permanecer fuera del territorio florentino por un periodo de dos años, y a la interdicción de por vida para participar en los asuntos públicos de la ciudad. El 10 de marzo de ese mismo año, Dante fue condenado a muerte por considerársele en rebeldía, lo que marca el inicio de su destierro.

11
El exilio

Para Dante, como para cualquier persona que llegaba a participar en política en aquellas épocas atribuladas, toda forma de represión, y en especial el exilio eran parte de un riesgo que se tenía que asumir con estoicismo, y en las cambiantes condiciones políticas nadie imaginaba –y seguramente tampoco Dante– que el destierro pudiese durar toda la vida. Tal parece que él nunca renunció a la posibilidad de volver a lo que era su amada patria, aunque más tarde su trabajo poético lo absorbe y parece más resignado, al principio expresa una gran amargura, como se puede observar en este pasaje de *El convite*, una obra que comenzó en 1304 y que nunca terminó:

> *Desde que la muy bella y famosa hija de Roma, Florencia, se dio el gusto de arrojarme de su dulce seno, en el cual fui nacido y criado hasta el colmo de mi vida, y en el cual, en buena paz con ella, deseo reposar el ánimo cansado y terminar el tiempo que me sea concedido. Por casi todas partes donde se habla la lengua italiana he andado, a modo de peregrino, casi mendigando y mostrando contra todos mis deseos la llaga de la fortuna, que suele imputársele al llagado con total injusticia. En verdad he sido barca sin vela y sin gobernalle, y he sido llevado a diversos puertos y litorales por ese viento seco que tiene el aroma de la pobreza; así me he presentado ante los*

ojos de muchos que, quizá por tener cierta fama, me habían imaginado de otra forma, y en opinión de los cuales no sólo mi pensamiento ha envilecido, sino que se ha depreciado toda mi obra, tanto la ya hecha como la que está por hacerse.

La pobreza a la que se refiere Dante en tonos tan dramáticos que es "casi" mendicidad, debe entenderse como una modestia a la que no estaba acostumbrado, y sobre todo a la necesidad de trabajar para vivir, lo que resultaba humillante para un hombre de su condición. Siendo un reconocido hombre de letras y buen latinista, nunca le faltó el trabajo y el pago suficiente para vivir con dignidad, aunque la mayoría de sus empleadores no podían valorar su extraordinaria riqueza intelectual.

Durante los primeros tiempos de su destierro, la actitud de Dante fue políticamente combativa; se sabe que en julio de 1302, el poeta se encuentra en la localidad toscana de San Godenzo nel Mugello, en franca conspiración con un grupo de güelfos blancos comandados por la familia Cerchi, con los que Dante tenía una gran afinidad política y quienes planeaban reorganizar sus fuerzas para dar un golpe de Estado y derrocar a los "negros", que ocupaban el gobierno. También se sabe a que a principios de 1303 estuvo en Forlí, en pláticas con Scarpetta Ordelafi, quien era el jefe de los blancos de la localidad. De ahí se fue a Verona, con objeto de pedir ayuda a la importante familia Scala, a pesar de que ellos se identificaban con los gibelinos; pero las negociaciones no prosperaron. En aquellos tiempos, Dante y sus correligionarios realizaron algunas otras maniobras para reunir fondos para costear una fuerza armada que les permitiera oponerse a los negros de Florencia y expulsarlos, por supuesto con la ayuda de sus simpatizantes en la propia ciudad; pero Dante pronto se dio cuenta de que un movimiento bélico desde el exilio, y en contra de los aliados del Papa, estaba destinado al fracaso, sobre todo considerando el panorama político que se presentaba en

1304, y que era consecuencia de los movimientos del año anterior, que veremos a continuación:

El gran activismo político y bélico del Papa Bonifacio VIII representaba una amenaza para los monarcas europeos, en especial para el naciente nacionalismo francés, cuyo rey, Felipe el Hermoso, decidió actuar drásticamente, por lo que envió a uno de sus lugartenientes, llamado Guillermo de Nougaret, con un grupo de sicarios, con la intención de secuestrar al Papa y llevarlo a Francia; aliados con la familia Colonna, lograron capturar al Papa y se dice que lo torturaron física y psicológicamente, pero no lograron secuestrarlo porque los cardenales Pedro de España y Nicolás Boccasini arengaron a la población de Añani, donde entonces residía el Papa, y ellos expulsaron a los intrusos; sin embargo, Bonifacio murió a las pocas semanas, al parecer muy afectado física y mentalmente por las torturas recibidas. Rápidamente se eligió como nuevo Papa el cardenal Boccasini, quien adoptó el nombre de Benedicto XI. El nuevo Papa era reconocido por su ascendencia gibelina, y su actitud política había sido siempre conciliadora, por lo que Dante pensó que con él sería posible intervenir en Florencia para lograr un nuevo acuerdo de coexistencia entre blancos y negros, y por supuesto solucionar su situación personal. La posición del nuevo Papa era en efecto conciliadora, incluso había logrado desactivar la conjura de los franceses, llegando a entablar una buena relación con Felipe, el Hermoso, por lo que había buenas razones para cultivar el optimismo, a pesar de que en Florencia se había recrudecido la represión en general contra los blancos y en particular contra la familia de Dante, pues la condena de exilio se había hecho extensiva a sus hijos, apenas cumplieran los catorce años, y su medio hermano, Francesco, había tenido que huir ante las presiones del gobierno de los negros.

Así que comenzaron las negociaciones con el Papa, por la vía de su representante en Florencia, el cardenal Nicolás Albertini del Prato, quien pidió a los exiliados que depusieran la armas y se avinieran a las disposiciones papales, que propiciaban la negociación y no la violencia. Los miembros del partido en desgracia encargaron a Dante la elaboración de la respuesta, que es la siguiente:

> *Hemos visto, como hijos no ingratos, la carta que vuestra pía Paternidad no ha enviado, y la que hace eco de nuestros deseos, lo que llena nuestras mentes de una alegría tan grande que nadie podría medirla con la palabra ni con el pensamiento. En efecto, los términos de vuestra carta más de una vez prometen, bajo la paternal admonición, esa salud de la patria que, soñada por el deseo, tanto anhelamos. ¿Por qué otro motivo nos hubiésemos lanzado a la guerra civil, y qué otra cosa buscaban nuestras blancas enseñas? ¿Por qué otra cosa se hubiesen enrojecido nuestras espadas y nuestros dardos, sino para lograr que aquellos que, con temeraria intención violaron los derechos civiles, doblaran la cerviz al yugo de la pía ley y fuesen obligados a aceptar la paz que requiere la patria? En verdad, la flecha de nuestra legítima intención, al salir de la cuerda que habíamos tensado, fue, es y será dirigida en el futuro tan sólo a la consecución de la paz y la libertad del pueblo florentino.*

Dicho esto, Dante da al Papa la seguridad de que la liga blanca depone las armas y se apega a su mandato, por lo que todo iba por buen camino, pero el 7 de junio de 1304 muere Benedicto XI en extrañas condiciones, con lo que de inmediato es retirado de Florencia el cardenal Albertini, quien hacía funciones de mediador. Los blancos, entonces, deciden retomar las armas, y comienza una serie de escaramuzas, hasta que se produce una batalla decisiva el 20 de julio, en una localidad cercana a Florencia, llamada Lastra. Hasta ese momento Dante había conservado su postura pacifista y, según sus biógrafos, no participó en esa contienda, lo que fue afortunado para él, pues en esa ocasión los blancos sufrieron una sonada derrota, lo que redundó en un agravamiento de la situación personal del poeta, lo que probablemente le causó un estado de resignada desesperanza, pues la expectativa de regresar a su ciudad tenía que ser postergada por tiempo indefinido, tal vez por eso comenzó a escribir, casi de manera simultánea, *El convite* y *La lengua vulgar*; ambas obras quedaron inconclusas.

A partir de entonces, Dante se alejó de sus compañeros de exilio y durante varios años vagó por varias ciudades del territorio italiano; según Boccaccio, estuvo un tiempo en Casetino, bajo la protección del conde Guido, yerno de Buonconte de Montefeltro, y también en Lunigiana, hospedado con la familia Malaspina, para quienes realizó algu-

La roca de Castelnuovo, propiedad de los Malespina, fue refugio del poeta durante su exilio.

nas labores diplomáticas que han quedado consignadas y en las que tuvo tanto éxito que aumentó su prestigio político y comenzó a hablarse de él también como un insigne poeta, bajo los auspicios de Cino da Pistoia, uno de los máximos representantes del *Dolce stil nuovo* (dulce estilo nuevo), del que hablaremos más adelante.

Boccaccio dice que en aquellos tiempos Dante viajó a París, lo que no se encuentra suficientemente documentado, sin embargo, es perfectamente posible. A pesar de las tribulaciones políticas y de su forzado peregrinaje, estos primeros años de exilio fueron muy fructíferos para Dante en lo que se refiere a creación literaria, pues además de las obras citadas, en estos tiempos produce algunas de sus rimas más afortunadas, en las que se va definiendo tanto el nuevo estilo como la filosofía amorosa del poeta.

En 1307 Dante dejó la casa de los Malaspina y aceptó la hospitalidad del conde Batifolle, en la población de Casentino, donde siguió con su producción literaria y filosófica; para muchos éste es el año en el que inicia la Divina Comedia.

12

El *dolce stil nuovo*

En la época de Dante, la poesía italiana era un proyecto joven, pues la lengua todavía no se uniformizaba en la península, privando una serie de formas dialectales que no eran sino las diferentes formas de vulgarización que había sufrido el latín durante el proceso de descomposición y la final caída del imperio. Así que los diferentes dialectos italianos, al igual que las demás lenguas romances de Europa, no eran consideradas lenguas "cultas" y prácticamente no se escribía en ellas, y mucho menos se hacía poesía, pues ésta era considerada la forma más elevada de expresión literaria. Fue hasta principios del siglo XII, y bajo los auspicios del emperador Federico II, que se creó una escuela de poesía en lenguas vulgares, coincidiendo con la expansión de la poesía trovadoresca, cultivada en la región francesa de Occitania, y que se expresaba en un antecedente del francés moderno que llamaban "lengua de Oc", y que era el idioma en el que se expresaba el amor "cortés"; la así llamada "Escuela de Sicilia", comenzó a desarrollar en Italia un tipo de poesía similar, con fuertes tonos trovadorescos e influencias directas tanto del latín culto como de la lengua de Oc, misma que se conserva en la poesía italiana como un remanente cultural e incluso aparece en algunos pasajes de la obra de Dante, especialmente en el encuentro con un poeta provenzal, llamado Arnaut Daniel.

Más tarde, la nueva poesía pasó a la Italia peninsular y se naturalizó en la región toscana, por lo que fue en esa lengua que se comenzó a desarrollar el patrón culto de la literatura italiana, siendo el primer poeta destacado Guittone d'Arezzo, quien fue uno de los grandes predecesores de Dante, aunque él parece no tenerle mucho aprecio, pues alude a él en el Purgatorio y critica su pobreza de estilo, en comparación con el "dulce estilo nuevo", que era el del propio Dante y que se desarrolló a partir de la obra de Guido Guinizelli, poeta boloñés, y de Guido Cavalcanti, el florentino preceptor de Dante, quien seguramente influyó de manera directa en el desarrollo de esa nueva forma poética en Dante, aunque él minimiza dicha influencia y en cambio magnifica la de Guinizelli, a quien llama "padre", cuando lo encuentra en el Purgatorio, reconociéndolo como el fundador de la corriente llamada *fideli d'amore*, o sea los "fieles del amor", aportando a la poesía un elemento, que en realidad es la reminiscencia de la dama idolatrada de la poesía trovadoresca, y que en los fieles del amor es la *donna angelicata*, esto es, la "dama angelical", que se convierte en el ideal de la belleza física y también espiritual, por lo que es prácticamente un ángel, como es el caso de Beatriz para Dante, y puede llevar al poeta a los extremos de la inspiración, o incluso se convierte en una especie de vehículo para la salvación de su alma, lo que viene a ser una aportación muy peculiar en la obra de Dante, y que va más allá de los ideales caballerescos y del dulce estilo nuevo, aunque se dice que fue el propio Dante el que calificó así a esta nueva manera de hacer poesía.

Se considera, a veces, que los fieles del amor formaban una especie de sociedad secreta que mantenía el ideal de la dama como un sustituto de la religión formal y una especie de rebeldía ante los valores represivos de la Iglesia de Roma; en este sentido se les ve como los herederos de la tradición de los cátaros o albigenses, en cuyo seno floreció la poesía trovadoresca y que realmente constituían una disidencia religiosa, razón por la que fueron considerados heréticos y masacrados; los trovadores descendientes de los cátaros, después de haberse destruido su cultura y temerosos de la represión, cultivaron una especie de esoterismo en sus cantos que llamaban *trovar clos* (canto oculto, sólo para iniciados), en el que al nombrar a los ángeles, los santos o las potencias celestiales se entendían categorías y valores que eran propios de su anterior sistema de creencias, como sucede en la "santería" de México y Cuba. Así se ha querido entender la obra de los "neotrovadores" del dulce estilo, pero es poco demostrable la existencia de un "trovar clos" en estos fieles del amor, aunque sí un cierto misterio en el lenguaje y en las imágenes; recordemos la numerología y los colores en las vivencias de Dante, que también se convierten en un lenguaje esotérico en su obra; los poetas del amor se decían fieles a Roma, (en su lenguaje cifrado Roma es Amor, si se lee al revés), con lo que también eran fieles al cristianismo, y más que rebeldes debería considerárseles radicalmente puristas de los ideales cristianos, y ortodoxos en cuanto a la filosofía escolástica, lo que es bastante claro en la obra de Dante; solamente son contestatarios en tanto que observan las constantes desviaciones de la Iglesia respecto de sus fines espirituales y la corrupción vigente en su tiempo.

Entre los trovadores, el amor cortés era propio de un sistema de vida feudal, en el que se reconocía como un valor fundamental la posición jerárquica de las personas, por lo que el vasallaje no era una forma de autohumillación, sino un acto de adoración a todo lo superior, ya fuera del orden divino o humano. Para el trovador esta lógica de subordinación es perfectamente natural y asequible; pero para los fieles del amor, que eran florentinos, güelfos y demócratas, el esquema de la subordinación no podía ser asumido con naturalidad, pues su aspiración social, política e incluso psicológica era la libertad, es por ello que en el estilo nuevo, a pesar de sus raíces trovadorescas, la dama no era elegida por su rango social, sino por sus cualidades físicas y espirituales; aunque frecuentemente, y esto es evidente en Dante, el leguaje para referirse a la dama es feudal trovadoresco, y ciertamente de subordinación a la dama, pero hay que decir que la dama no es propiamente una persona, sino un símbolo de una realidad superior, más que humana es divina, como en el caso de Beatriz, por lo que es perfectamente válido el convertirse en su adorador y su vasallo, repitiendo los esquemas trovadorescos, pero dándoles un sentido trascendente, con lo que queda a salvo el sentido democrático de la vida mundana y al mismo tiempo se reencuentra una poderosa religiosidad, asociada al erotismo.

Se cree que Dante era miembro de "Los fieles del amor", una especie de sociedad secreta con fines puramente románticos.

13

El destierro creativo

Como ya hemos dicho, los años de exilio de Dante fueron los más productivos en lo referente a literatura y filosofía, lo que es perfectamente comprensible por dos motivos, el primero es que ya se encontraba en condiciones de madurez tanto vital como intelectual, y el segundo es que su vida adquirió los rasgos de tragedia que lo indujeron a buscar y encontrar las formas de expresión liberadora de sus angustias, de sus rencores, y en general de todas aquellas contradicciones de una vida difícil. Cualquiera que haya leído la Divina Comedia se da cuenta de que ésta es un formidable exabrupto intelectual y emocional, que es una especie de "catarsis", como se dice en psicología; por lo que no podemos menos que concluir que de una vida cómoda, exitosa y armónica no hubiera salido nunca la patética *Commedia*, que todavía nos maravilla por su gran fuerza expresiva y su desbordante emotividad.

Pero habría que agregar un tercer motivo para la productividad de Dante en el exilio, y este resulta el más obvio y prosaico, pues no hay que olvidar que el exilio de Dante duró el resto de su vida, por lo que no fue realmente un periodo especial, sino toda su madurez.

14
Il convivio

El Convivio es una de las primera obras del exilio, pues se sabe que fue iniciada en 1304, y Dante se ocupó de ella hasta 1308, cuando simplemente la abandonó sin terminarla. En su estructura original, la obra consta de catorce "tratados", cada uno de ellos dedicado a hacer una exégesis de un poema, esto es, se trata de un análisis de sus propias obras, explicando y comentando aquellas que, para él, eran más significativas; el sentido del título es el de una invitación para compartir con el lector la esencia creativa de sus obras, es por ello que el libro no fue escrito en latín, sino en toscano. Otro de los propósitos de Dante es el continuar con la labor de los fieles del amor, quienes se habían propuesto elevar la lengua vulgar a la categoría de culta, escribiendo y publicando en ella, considerando que también en la lengua que se utilizaba para la expresión cotidiana se podían elaborar toda clase de argumentos, y además hacer poesía, con lo que contribuyeron a la desmitificación del idioma latino, y sobre todo a la generalización de la cultura, que dejó de estar encerrada en los claustros, en las universidades o en los grupos de élite, para alcanzar a la gente común, lo que fue un largo proceso, pero que tuvo sus orígenes en esta actitud de los fieles del amor y de otros que, como ellos, fueron capaces de romper los estereotipos que habían heredado; junto con Cino de Pistoia y Guido Cavalcanti, Dante se declara amante de la propia lengua, como expresa en el siguiente pasaje del Convivio:

> *Si de manera manifiesta saliesen llamas de fuego por las ventanas de una casa, y alguien preguntase si había fuego ahí, y otro respondiese que sí, no sabría bien a cuál de ellos despreciar más. Y no de otra manera sería hecha la pregunta y la respuesta de quien me preguntase si hay en mí amor a mi propia habla, y yo le respondiese que sí, según las anteriores razones. Sin embargo, y para mostrar que no sólo amor, sino perfectísimo amor a mi lengua existe en mí, y también para reprender a sus detractores, diré cómo me hice amigo de ella, y cómo se confirmó luego esa amistad.*

En una larga perorata, Dante recurre a Cicerón y Aristóteles para demostrar que la amistad se deduce de la proximidad, y que él siempre estuvo más cerca de su lengua materna que de ninguna otra; además de que la ama por su ternura y su utilidad, pues argumenta que si aprendió latín fue porque ya tenía una lengua para expresarse, con lo que sólo tuvo que cambiar unos términos por otros; y también dice que si recibió el don de la vida fue porque sus padres se valieron de la lengua toscana para comunicarse su amor y su deseo; no cabe duda que estos argumentos se acercan más a la poesía que a la filosofía.

En el segundo tratado se ocupa de comentar uno de sus poemas en los que alude a los movimientos celestes, pero en esta argumentación encontramos el señalamiento de lo que podríamos llamar la preceptiva literaria de Dante, por lo que resulta muy esclarecedora para la comprensión de la Divina Comedia, pues hace un deslinde entre los significados literal y alegórico de sus rimas, señalando que estos se pueden entender conforme cuatro patrones de significado:

En un sentido literal *no se entiende más allá de las palabras ficticias de los poetas*, mientras que el sentido alegórico *se ocul-*

Aristóteles.

ta bajo el manto de la fabulación y es una verdad oculta bajo una bella mentira. El tercer sentido se llama moral, y es algo que los lectores deben *andar atentamente asechando*, para que la lectura sea de provecho. Al cuarto tipo de significado le llama "anagógico", lo que puede entenderse como un sentido superior o trascendente, que se obtiene al incluir la espiritualidad en el escrito… *el cual, aunque sea verdadero en un sentido literal, por medio de las cosas significativas, de lo que se trata es de las cosas sublimes de la eterna gloria.*

Esta exégesis de la obra literaria que Dante se aplica a sí mismo no es sino el rescate de la hermenéutica cristiana que se aplicaba a la interpretación de la Biblia, que en realidad tiene su origen en remotos tiempos precristianos y fue desarrollado por los judíos cabalistas; la interpretación "alegórica" de los textos antiguos fue un método muy socorrido en la Edad Media, pues permitía encontrar –o inventar– significados coherentes con la doctrina cristiana en los textos filosóficos o mitológicos de la antigüedad clásica sin caer en heréticas contradicciones.

Este tratado segundo resulta interesante para los lectores de la Commedia, pues aquí se describe la estructura de los cielos y de los coros de ángeles, temas que aparecerán en el Paraíso, ampliamente desarrollados, pero siguiendo el mismo esquema aquí planteado.

En el tercer tratado Dante comenta uno de sus poemas más conocidos: *Amor que en la mente me razona...* argumentando su contenido en un sentido alegórico, pues traspone las imágenes a la manera de los exégetas cristianos, señalando que la "dama piadosa" a la que se canta es en realidad la filosofía, identificada con los atributos femeninos. En este tratado Dante hace una serie de disquisiciones acerca del alma humana en comparación con la de los animales, sobre el amor y, curiosamente, sobre los mecanismos de la visión humana; todas estas ideas serán también llevadas a la Commedia.

En el cuarto tratado se comenta el poema: *Las dulces rimas de amor que yo solía...*, y se enfoca principalmente al análisis de la nobleza, desde un punto de vista filosófico más que literario. El punto de vista adoptado por Dante es casi revolucionario para su tiempo, pues él niega que la nobleza proceda de la sangre, o de las costumbres de la clase aristocrática, con lo que reafirma su posición de güelfo, en tanto que defiende la natural nobleza del pueblo llano, lo que ahora nos parecería extraño en una corriente política que se identificaba con la autoridad de la Iglesia, pero hay que considerar que en aquellos tiempos se estaba gestando ya el Renacimiento, y que la nueva burguesía naciente, de tendencia gibelina, se identificaba más con la monarquía civil que con el papado. Para Dante, la nobleza no es algo que deba ser reconocido por el monarca o los señores feudales, sino por la autoridad moral que reside en los filósofos; además de que esa moralidad es de índole espiritual, lo que no es producto de la herencia de sangre ni de la posesión de riquezas, que considera una fuente de iniquidad, al grado de que son los malvados los que atraen las riquezas y ellas son la muestra de su abyección, pues los hombres buenos se ocupan de cosas más humanas, y no de comercio o especulación. De este análisis se deduce una severa crítica para el incipiente capitalismo del siglo XIV, pues Dante considera que, en cualquier caso, las ganancias acumuladas por algunos redundan en la pobreza de las mayorías, además de que la pasión por las riquezas lleva al pecado de la avaricia, que para Dante es uno de los más odiosos, como pude verse en la Divina Comedia.

15

De vulgari elocuentia

Esta es una de las obras filológicas más importantes de Dante, fue redactada en latín, pues se dirige a los estudiosos de la lengua. En este texto, Dante distingue entre el habla vulgar "primaria" y "secundaria". La primaria, que es la que ejerce el pueblo llano, es la lengua "natural", y por lo tanto es la más noble, en cambio la secundaria, que es de menor nobleza por ser relativamente artificial, es la que cultivan los eruditos y los artistas del lenguaje, que para Dante son básicamente los poetas. Por su capacidad de significación, todo lenguaje es racional y sensible a la vez; es racional en cuanto que tiene un valor significativo convencional, y es sensible porque tiene un sonido que se percibe por el oído. Como se podrá ver, Dante hace el mismo deslinde de la moderna lingüística, en tanto que reconoce la dualidad de lo que ahora se llama el "signo lingüístico", siendo el *significante* la imagen física o sensible del signo, que Dante reduce al sonido, y el *significado* la imagen mental, que Dante llama "racional".

Esta es una obra básicamente intelectualista, aunque en ella Dante maneja criterios que son propios de la época y de su mentalidad; entre otras cosas hace una crítica de la interpretación del Génesis propia de su tiempo, pues se consideraba que la mujer había hablado antes que el hombre, pues Eva se dirigió a la serpiente en palabras; pero

Dante afirma que eso no era posible, pues cosa tan noble como el lenguaje tenía que haber sido ejecutada por el hombre en primera instancia, así que fue Adán, al pronunciar la palabra *Dios*, quien habló primero.

Con fundamento en La Biblia, Dante afirma que la primera lengua fue el hebreo, y que ella sería la lengua de toda la humanidad, si no se hubiese producido la hecatombe de la confusión de lenguas en Babel. Este idioma, dice Dante, fue conservado por los hijos de Israel, para que el Cristo pudiese hablar en una lengua pura y llena de la gracia original, y no en una de las lenguas que nacieron a partir de la confusión.

Más adelante Dante recupera un tono objetivo y analiza la formación de las lenguas europeas, distinguiendo tres ramas: la *nórdica*, la *meridional* y la *griega*, una aguda observación, aunque no tenía los elementos para identificar los

La creación de Adán y Eva, fresco de Miguel Ángel.

orígenes más remotos de esas lenguas. También señala que las lenguas evolucionan en función de tiempo y lugar, y afirma que la gramática se inventó para poder aprender otras lenguas y entender los escritos que sean ajenos, ya sea los antiguos o de otras culturas, siendo la gramática latina la más evolucionada, y en consecuencia las lenguas que se derivan de ella las más completas, y por supuesto la italiana la mejor de todas, por ser la más parecida a la latina.

En este mismo tratado divide la lengua italiana en catorce dialectos, de los que calcula veinte mil variantes, o normas dialectales, lo que según los filólogos actuales se acercaba mucho a la realidad en el siglo XIV. Dante piensa que debía elegirse una lengua en especial, la que fuese más extendida e ilustre, para difundir una lengua general que fuese propiamente italiana, lo que desde luego sucedió, aunque no por decisión de los eruditos, sino por la evolución de las relaciones culturales. Dante mismo hace una disquisición en cuanto a la que sería la lengua ideal, diciendo que el siciliano era el más expresivo en boca de los poetas, aunque hablado por el vulgo no era precisamente el mejor; pero como lo mismo pasa con todos los dialectos, concluye que una lengua evolucionada puede aparecer en cualquiera de las regiones de Italia, siempre y cuando sea elaborada poéticamente, así que finalmente propone la autoridad de los escritores, como él mismo, para el desarrollo de una lengua común, que parta de las vulgares, pero que llegue a convertirse en la norma culta de la lengua italiana, lo que, efectivamente fue uno de los grandes méritos de su obra.

En el libro segundo, Dante hace un análisis del problema de la métrica en poesía y sobre todo de los problemas que se presentan al hacer poesía en lengua vulgar, reiterando que esa es una labor de gran valor cultural, aunque señala que no todos los temas de la poesía deben ser tratados en lenguas vulgares, sino sólo aquellos que traten hechos de armas, del amor o de la virtud, como hacen los más insignes poetas de la época; cita entonces a Cino da Pistoia y a "su amigo" –que no puede ser otro que el mismo Dante–, como los máximos exponentes de la poesía amorosa en lengua vulgar.

Analizando críticamente las diferentes métricas, Dante concluye que la canción es superior a todas las demás, y que aquélla que se expresa en versos endecasílabos es la mejor de todas; hablando sobre la canción, él hace una especie de tipología de las palabras, describiéndolas como elegantes y suaves, o duras e hirsutas, al comenzar a argumentar sobre este tema, la obra se interrumpe. Desgraciadamente, Dante nunca tuvo a bien terminarla.

16

La *monarchia*

Ninguno de los biógrafos de Dante ha logrado descifrar la época en la que se escribió esta obra, aunque más o menos están de acuerdo en que la escribió en los muchos años de exilio. Una opinión generalizada es que este libro fue escrito en 1308, como un eco de las grandes discusiones políticas que se produjeron durante la elección de Enrique como emperador, aunque esta opinión es una mera conjetura; de cualquier manera, esta es una precisión meramente accesoria para el juicio de esta obra que, aun inconclusa, es uno de los tratados políticos más interesantes de la época, y sin duda alguna, la obra filosófica más equilibrada de Dante.

La Monarquía también fue redactada en latín, dado su carácter especializado, pues en esos tiempos no se consideraba la posibilidad de que las personas comunes pudieran acercarse a temas tan escabrosos como la política; esta obra va dedicada principalmente a los jerarcas de la Iglesia y a los ciudadanos que ocasionalmente, lo mismo que Dante, ejercían la diplomacia, centrándose en dirimir las contradicciones entre los poderes temporal y eterno, lo que es uno de los temas de mayor controversia en la Edad Media y motivo de complicadas argumentaciones dentro de la filosofía escolástica, cuyas tesis principales, sostenidas por la Iglesia, apoyaban el poder secular en la forma de la monarquía, considerando que el propio Papa actuaba como un monarca. Dante está de acuerdo en que la monarquía es necesaria para el gobierno del pueblo, opina que el imperio es una forma natural de gobierno, dado que Dios mismo permitió el que Roma ejerciera esa forma de dominio y extendiera la civilización; pero la autoridad imperial deriva de Dios y no del Papa, y la Iglesia no debe ocuparse del gobierno mundano.

Dante señala que el poder imperial tiene sus raíces en la propia naturaleza de las relaciones humanas, pues los hombres tendemos a la sociabilidad, creando grupos ordenados en los que los hombres puedan cumplir con los fines para los que fueron creados y realizar por completo sus potencialidades, lo que no pudiera suceder sin la presencia y acción coordinada de los individuos dentro de un grupo. La finalidad última del ser humano es la consecución de la felicidad, pero para que el hombre sea feliz se requiere que viva en condiciones de paz, pero en un sistema de gobiernos regionales o provinciales, la paz se dificulta mucho, pues los diferentes reinos necesariamente entran en conflicto unos con otros, lo que no sucedería si toda la tierra fuese un solo reino, lo que es precisamente el *imperio* o la *monarquía universal*, donde un solo monarca detenta el poder y por lo tanto no puede ambicionar más, siendo deseable que se convierta en una autoridad por sobre todos los mandatarios menores, cuyo poder está limitado y es responsable ante el emperador, quien por su gran poder es capaz de mantener a todos los súbditos, incluyendo a los reyes o señores, en condiciones de control, lo que propicia la paz.

Esta idea de la salvación por medio de la monarquía absoluta es, en principio, un recuerdo nostálgico de las glorias del imperio romano, que está presente en el ánimo de la política durante toda la Edad Media, llega al Renacimiento y sobrevive hasta el fascismo italiano, que fue el último intento de restaurar el imperio romano (por lo menos así lo esperamos); ahora ya tenemos otros elementos que nos permiten evaluar la peligrosidad del absolutismo, pero no podríamos objetar la lógica de Dante en su momento, cuando el mundo se acercaba al caos en virtud de los cambios en el modelo económico, lo que produce una desorganización social que por supuesto ahora observamos como un periodo de transición, pero que en la baja Edad Media era como el fin del mundo.

Dante se declara partidario de la restauración del imperio, aunque él mismo anticipa la objeción a esta propuesta, que va en el sentido de que el imperio romano prosperó a base de sangrientas conquistas y no por la voluntad de los pueblos sometidos; a lo que Dante mismo responde con el argumento de que Dios eligió a los romanos para ejercer el dominio universal por ser un pueblo justo, y que el uso de la violencia no fue sino un mal necesario, un instrumento de la voluntad de Dios, dado que el imperio fue una necesidad histórica y sobrenatural, pues la función trascendente de los romanos fue la preparación del terreno para el adveni-

Catacumbas romanas, el imperio romano ejercía una gran fuerza en el criterio político de Dante.

miento de Cristo, pues era necesario que en el mundo reinara la paz. Con su peculiar orientación numerológica, Dante descubre una reveladora sincronía entre la fundación de la casa de David, a la que pertenecía Jesús, y la fundación de la ciudad de Roma, lo que demuestra que ambos acontecimientos responden a un mismo plan divino, y que toda la expansión del imperio fue obra de la Divina Providencia.

Más adelante toca un aspecto particularmente escabroso, y es el de la justificación del poder temporal, que para Dante no podría ser otra que la voluntad de Dios, pero manifiesta de alguna manera metafísica, y no como en las tesis vigentes en la doctrina de la Iglesia, determinadas por Bonifacio VIII en la encíclica *Unam Sanctum*, en la que se postulaba lo mismo, en el sentido de que todo poder temporal estaba supeditado al orden espiritual, o sea que el gobierno civil tendría que acatar las órdenes de la Iglesia, y en particular del pontífice, pues, como lo indica su nombre, él es el puente entre Dios y los hombres. Dante argumenta que el orden eclesiástico es también temporal y que no necesariamente se desarrolla en función de las tendencias "naturales" del orden humano, con lo que de hecho niega la validez intrínseca del poder eclesiástico y oponiéndose a las tesis sostenidas por sus propios partidarios güelfos, quienes por tradición apoyaban al Papa, argumentando que el propio emperador Constantino había entregado el poder del imperio de Occidente al Papa Silvestre. Dante no acepta del todo la veracidad del encargo del emperador, pero dice que, aún admitiendo que aquello fuese verdad, ni el propio Constantino tenía derecho de renunciar al poder imperial, que era una manifestación de la voluntad de Dios, y la Iglesia tampoco podría aceptar ese poder, pues su misión era la evangelización, en las condiciones de pobreza y humildad que habían sido impuestas por el mismo Cristo.

Dante no elude la consideración de que ambos poderes proceden de Dios, y son manifestación de su voluntad sin que medien criterios humanos, de manera que ambos poderes son válidos, pero cada uno en su respectiva esfera de acción. Considera necesario que el emperador rinda homenaje al Papa, siendo que éste se encuentra facultado para orientar su función en un sentido espiritual, pero el emperador no debe renunciar al poder temporal, el cual le corresponde en exclusividad.

Como hemos dicho, esta obra también quedó inconclusa, pero la polémica de la justificación del poder volverá a tocarse apasionadamente en su máxima obra.

Cristo en la cruz, obra del pintor Velásquez; Dante creía firmemente en los preceptos fundados por Jesucristo.

17

Una ilusión de imperio: Enrique VII

En 1308, Enrique, el rey de Luxemburgo, se convirtió en el emperador de Alemania, Enrique VII, y a partir de ahí comenzó a generarse una gran inquietud en toda Europa, pues este personaje manifestaba una gran voluntad de generalizar su imperio, y especialmente incluir a Italia, con lo que llegaría a dominar al papado, lo que para Dante representaba una gran esperanza, sobre todo porque esta iniciativa coincidía con las ideas expresadas en su tratado sobre la monarquía.

Pero la gran empresa de Enrique VII se toparía con las ancestrales pasiones que se manejaban en la política italiana, sobre todo considerando la gran capacidad de intriga del Vaticano y la tradicional y compleja lucha entre güelfos y gibelinos; tal vez su error principal fue el no establecer alianzas circunstanciales con unos y otros; confiando en la razón y el buen sentido, se manifestó partidario de la equidad y declaró que no reconocería privilegios y canonjías, lo que sería el fundamento de un nuevo orden pacífico en Italia. Desde luego todo mundo estuvo de acuerdo con la propuesta de paz, pero de inmediato se prepararon para la guerra, pues bien sabían que un proyecto de esa índole no podía fructificar en Italia.

Busto de Enrique VII por Pietro Torregino.

Enrique llegó a Milán en condiciones de triunfador, y el 6 de enero se ciñó la corona como emperador de Italia, contando con el apoyo popular, y en especial con el de todos los desterrados de Florencia, entre los cuales se encontraba Dante, quien desde un principio cifró sus esperanzas en él y lo consideró el heredero virtual del imperio, por lo que confiaba en su capacidad para restaurarlo; esto se puede corroborar en el canto XVII del Paraíso, donde Dante conversa con su tatarabuelo Cacciaguida y éste le da una serie de señas premonitorias:

Deberás dejar todo lo que amas, ese es el primero y principal infortunio que se sufre en el destierro; sabrás lo amargo que es el pan ajeno y lo fatigoso que es el camino cuando hay que subir y bajar por una escalera que no es la tuya; pero lo que te parecerá la carga más pesada será la perversa compañía que has de llevar por tan triste valle, y que llena de ingratitud, de insensatez y de odio, se volverá contra ti; pero poco después ella será la que se avergüence de sus actos, pues ellos darán la prueba de su brutalidad, tanto que será un honor para ti el haber formado un partido por ti solo. Tu principal refugio será la generosa acogida del gran Lombardo, quien lleva el ave sagrada sobre la Escala, y que tendrá tales consideraciones contigo, que todo aquello que se pactará entre ustedes comenzará donde todos los demás acaban. Con él verás que las estrellas que marcaron tu nacimiento te dieron una influencia tal que tus acciones habrán de perpetuarse en la memoria de la gente.

Nada de esto han conocido todavía los pueblos, a causa de su corta edad, pues hace solamente nueve años que estas esferas giran en su entorno; pero antes de que el Gascón pueda engañar al buen Enrique, aparecerán pruebas de su virtud por medio de luminosas señales, además de que todos se darán cuenta de que él no se apega a las riquezas o a los afanes de la vida, y será bien reconocido por su magnificencia, tanto que ni siquiera sus enemigos le negarán las alabanzas. Tú debes confiar en él, pues por su influencia se producirán muchos cambios y transformaciones, haciendo que los ricos y los pobres cambien de condición. Tú debes grabar en tu memoria estos presagios que de él te hago, pero deberás guardar un prudente silencio...

Este testimonio nos da la impresión de que el Paraíso, o por lo menos este pasaje, fue escrito en la época de la campaña de Enrique VII, o sea en 1308, pues después de aquel año, los "presagios" de Cacciaguida ya no tendrían sentido; sin embargo, también es evidente que Dante no quiso cambiar este texto, pues bien pudo hacerlo en años posteriores.

La propuesta pacifista de Enrique se reveló como utópica en suelo italiano y la reacción no se hizo esperar, las comunas lombardas se fueron sublevando una a una y el emperador tuvo que ceñirse, además de la corona, la armadura de guerrero, para proceder a sitiar las localidades rebeldes, entre las que se encontraban Pavia, Cremona, Lodi y Brescia. Entonces reaparecieron los odios contra el imperio y las contradicciones internas; los güelfos se reorganizaron en apoyo al Papa, considerando que el nuevo monarca venía en refuerzo de los gibelinos. Florencia, que era el mayor centro del güelfismo, se constituyó en valuarte del Papa, quien se alió con Roberto, el rey de Nápoles, para presentar un frente contra el emperador.

Dante se siente profundamente ofendido por la actitud de sus compatriotas a los que en un documento público llama "bandidos que ocupan Florencia", y en una carta dirigida al emperador lo insta a invadir pronto el territorio toscano, para cortar de tajo "la cabeza de la hidra." Pero en vez de ello, y contando con la supuesta aprobación del Papa, Enrique marcha a Roma, donde es coronado como *Emperador de Occidente* el 29 de junio de 1312. Habiéndose formalizado su condición se dirige con su ejército a la toscana con objeto de tomar Florencia, a la que pone en estado de sitio, pero aparentemente de una manera poco entusiasta, o como una mera amenaza, pues deja abiertas las vías de abastecimiento de la ciudad. Entonces el emperador decide marchar a Nápoles, para combatir a su enemigo declarado, el rey Roberto, y comenzar la conquista de Italia por el sur, una vez controlado aquel foco de subversión. Pero aquellos proyectos se frustraron rápidamente, pues Enrique murió en misteriosas condiciones el 24 de agosto de 1313, en los alrededores de Siena. La versión más aceptada es que Enrique fue envenenado por agentes del Papa Clemente V infiltrados en su séquito.

Como se comprenderá, fue muy grande el desánimo de Dante al recibir la noticia de la muerte de Enrique VII, lo que significaba no solamente la disolución del imperio, sino la de sus propias esperanzas, tanto en un sentido personal como histórico. Desde ese momento se encerró en sí mismo y se dice que ese fue el inicio de la primera parte de su obra, o sea, el Infierno, lo que es perfectamente creíble si consideramos la amargura que se percibe en esta parte, y sobre todo el carácter vengativo de sus imágenes, que llegan al grado de la perversidad.

La vida en Florencia no había sido pacífica desde la ausencia de Dante; los exiliados habían atacado la ciudad en varias ocasiones, lo que había producido un recrudecimiento de la represión por parte de los "negros" que gobernaban la ciudad, ensañándose con los parientes y amigos de los blancos que se encontraban en el exilio, lo que provocó la huida de Francesco, el medio hermano de Dante; la esposa y los hijos contaban con la protección de Corso Donati; pero en 1308 el propio Corso fue acusado de traición y se le llamó a comparecer ante la Señoría, pero como él no obedeció la orden se procedió a su aprehensión, a lo que él respondió con violencia y en la refriega resultó muerto. En los registros históricos no se sabe cómo murió, pero Dante, en el Purgatorio, encuentra a Forese, quien había sido su amigo y curiosamente era hermano del cruel Corso, y él le informa que murió arrastrado por un caballo.

A finales de 1315 se dictó un nuevo decreto en contra de los blancos exiliados que habían recurrido a las armas para dirimir su situación, y ese decreto incluía a Dante, aunque él había optado por la protesta pacífica; este nuevo decreto ratificaba la sentencia al destierro de por vida, y además lo ampliaba a los parientes consanguíneos de los desterrados, quienes debían ir al exilio al cumplir los catorce años, siempre que no pasaran de setenta. Es muy probable que por esa razón sus hijos Pietro, Jacopo y Beatrice fueran a vivir con su padre, unos años después, a la ciudad de Ravena, donde Dante había fijado su residencia en 1320.

Pero no sólo la guerra y la política conformaron el trasfondo de realidad que se descubre en la Divina Comedia, sino también el amor, y en especial el que parece ser el último de los amores de Dante, quien no era precisamente un franciscano en sus relaciones con las gentiles damas, si hemos de creer a Boccaccio, quien dice:

Nuestro poeta no fue tan sólo dominado por su primer amor. Él era un gran apasionado, y en sus años maduros lo vemos suspirar por una bellísima moza que vivía en los Alpes, cerca de Casetino. Para cada uno de sus amores él trazó muchísimos ardientes versos.

En otro pasaje de Boccaccio se lee:

... en la vida de este admirable poeta la lujuria fue muy poderosa, no sólo en su juventud, sino también en su madurez.

Efigies funerarias de Enrique VII y su esposa Elizabeth, manufactura de Pietro Torregino.

En efecto, en la ciudad de Lucca, alrededor del 1315, coincidiendo con su segunda sentencia de destierro, Dante conoce a una bella jovencita, llamada Gentucca Morla Buonaccorso, y al parecer se enamora perdidamente de ella, a pesar de que ya tenía cerca de cincuenta años, lo que en sus tiempos se consideraba una edad avanzada. No sabemos cómo terminó esa aventura, pero bien se pueden rastrear sus huellas en la Commedia, donde Dante parece arrepentirse de ese desliz con una mujer que "todavía no portaba el manto", lo que significa que era muy joven, pues en sus tiempos las mujeres llevaban el manto para señalar su condición de casadas, pero habría que considerar que se casaban muy jóvenes, por lo que Gentucca debió ser realmente una muchachita. En la parte dedicada al Paraíso, la propia Beatriz, que se propone como la conciencia moral de Dante, alude a la perversidad de los hombres maduros que andan con jovencitas. Estos pasajes no solamente nos dan cuenta de la transposición entre fantasía y realidad en la Divina Comedia, sino también de las diferentes épocas en que fue compuesta.

18

La síntesis poética

Como ya hemos dicho, si no fuera por los acontecimientos que marcaron la obra de Dante, y especialmente por su largo y penoso exilio, probablemente su magna obra, la Divina Comedia, nunca se hubiese gestado, y el nombre de Dante sería mencionado de paso entre sus contemporáneos, los *fideli d'amore*, como uno de los creadores del nuevo estilo; pero la Commedia es el producto de una tragedia personal, es la trasposición poética de la realidad vivida por Dante a partir de que su situación cambió radicalmente y que se vio envuelto en un entramado político de gran importancia histórica, de manera que la Commedia no sólo es una obra de gran valor emotivo, sino que es un testimonio de una época en la que la cultura de Occidente se encuentra en el umbral de un cambio significativo, pues las sombras medievales se estaban disipando, para paso a una nueva luz en la historia, pero también en la imaginación de Dante, que parece obsesionado por la luz, especialmente en la tercera parte de la Commedia, cuando se encuentra en el paraíso.

Es evidente para cualquiera que la Divina Comedia es una especie de catarsis personal y que tiene un carácter autobiográfico, lo que para los lectores de este libro es claro, en virtud del recorrido histórico que hemos hecho.

19

La "Divina" Comedia

Dante llamó solamente *Commedia* al larguísimo texto en el que cantó su propia vida, el agregado de "Divina" es un calificativo que le añadieron sus comentaristas apasionados, sus lectores y primeros editores; el término de "comedia", adjudicado a una obra de este tipo, tal vez parezca extraño al lector moderno, pero Dante lo usa como una simple distinción de la *tragedia*, en la que, con sus propias palabras *sólo cabe el estilo sublime y la catástrofe funesta.* Y también considera que su obra no responde al concepto de *elegía*, que para él es solamente el retrato de los afectos y las pasiones.

Las palabras con las que inicia el poema representan el primer enigma a resolver, aunque para cualquier lector sensible su significado es claro:

Nel mezzo del cammin di nostra vita
Mi ritrovai per una selva oscura
Chè la diritta via era smarrita.

En medio del camino de nuestra vida
me encontré de pronto en una selva oscura
que del recto camino se alejaba.

¿Quién no ha sentido en algún momento de la vida que todo a su alrededor es oscuro y que ha perdido el camino?... En medio de una crisis existencial de este tipo, de alguna manera todos hacemos una revisión de nuestra vida, con objeto de buscarle algún sentido, aunque no lo hagamos en 14, 221 versos, como Dante. Esta es la tesitura psicológica que da lugar a la Divina Comedia, y el tono en que se expresan los cantos, en los que se parte de la idea de que la vida humana es como un viaje que necesariamente se sigue por un camino ascendente, hasta que se llega a la mitad de "nuestra" vida, que en la época de Dante se consideraban los treinta y cinco años, que era cuando se comenzaba a vislumbrar un descenso, hasta llegar a los setenta, que era el límite máximo de la vida. El objetivo final de este viaje es la comprensión de la verdad en su sentido absoluto, o sea llegar a la "beatitud" que supone la comprensión de la voluntad divina; la mitad de la vida es concebida como un momento de crisis, pues en ella se toman las decisiones definitivas, que si no son acertadas conducen a la perdición del alma; pero cuando uno se encuentra en la "selva oscura", su pensamiento y su sentimiento están seriamente distorsionados, por lo que se tiene una sensación de gran peligro y todo parece amenazante; en esas condiciones se requiere ayuda para encontrar el "camino recto", pues de otra manera el poeta puede quedar perdido para siempre en su selva, lo que significa el no encontrar la vía de la salvación. En un sentido filosófico, las dos únicas guías posibles son la sabiduría y el amor, lo que en la mentalidad del Dante filósofo se identifica con el método de Aristóteles y Platón, respectivamente; pero para Dante el poeta, estas guías son Virgilio y Beatriz, siendo el primero el representante de la razón, y la segunda el símbolo del amor. En la trama del poema ambos se alían para ayudar al poeta perdido en su oscuridad; aunque es Beatriz la que toma la iniciativa y, aunque ella habita en las más altas cimas de la gloria, baja a los infiernos para entrevistarse con Virgilio y suplicarle que se encargue de ayudar al extraviado poeta, llevándolo por los mundos inferiores, que son el Infierno y el Purgatorio, lo que parece reforzar la idea platónica de que es el amor el puente que une al mundo real con el virtual, aunque bien se requiere del auxilio de la inteligencia, en este caso representada por el admirado poeta romano Virgilio, quien debió ser una influencia importante para el Dante real.

Beatriz se convierte en una protagonista activa hasta la tercera parte de la comedia, cuando ella misma se asume como guía; pero ella es una presencia virtual en toda la obra, no solamente por el anhelo que anima a Dante de volver a verla, sino porque es ella la que, en el fondo, dirige la actitud del propio Virgilio, quien se declara fiel obediente de los mandatos de la dama, ahora convertida en símbolo de un amor beatífico.

La mayoría de los comentaristas de este fantástico viaje por los mundos del más allá están de acuerdo en que la trama de la obra se inicia durante la Semana Santa del 1300, año el que se celebraba el primer jubileo de la Iglesia católica, y que fue precedido por Bonifacio VIII, a quien Dante consideraba su enemigo personal, pero que también representa al pontificado, que fue instituido por Cristo en la figura de Pedro, y Dante es un profundo creyente, la religiosidad es parte de la estructura de su personalidad, por lo que da un significado ritual a todo lo que sucede en el poema, donde todo tiene un sentido religioso, además del filosófico y propiamente literario; la misma estructura de los tres grandes espacios de la realidad ultraterrena resulta bastante compleja si solamente atendemos a criterios geométricos, pues se trata de una topografía simbólica, más parecida a la lógica de los sueños que a la del pensamiento en vigilia.

Para los estudiosos de la estructura de la obra literaria, la Divina Comedia es un gran reto, pues la composición responde a una especie de geometría mágica o esotérica que parte de esa mentalidad numerológica de Dante que ya hemos comentado, pero que se convierte en una verda-

San Pedro pintado por el Greco. Dante era un creyente y por lo tanto asumía la identidad del Papa como aquel instaurado por Cristo en nombre de San Pedro.

dera arquitectura verbal cargada de una simbología que rebasa cualquier análisis; todo se basa en el número 3 que, como dice el propio Dante, al reflejarse en sí mismo, se convierte en nueve, que es el número de máxima significación en la vida y la obra de Dante, pero él mismo considera que al agregar un elemento se llega al número "perfecto", que es el 10; tal parece que el nueve representa la dialéctica de la vida y en general del movimiento, mientras que el 10 se identifica con la estabilidad y la perfección, lo que tiene un carácter divino.

Cada uno de los tres espacios que se describen en la Divina Comedia se dividen en nueve zonas, pero en cada espacio se agrega una especie de vestíbulo que funciona como zona de transición, de manera que se logra dar la idea de lo absoluto en cada caso, o sea 10 espacios. Por otro lado, cada parte se compone de 33 cantos, pero como eso daría un estado transitorio o "inestable" (99), Dante agrega un canto más en el Infierno, con lo que la obra se vuelve "estable", puesto que alcanza la perfección del 100.

Muchos juegos numéricos se han hecho con la Divina Comedia, lo que no es ocioso, pues resulta revelador, por ejemplo, que el momento en que Dante encuentra a Beatriz, es la mitad simbólica de su viaje por el mundo extraterreno, pues se narra en una frase que aparece en el canto XXX del Purgatorio; este canto consta de 145 versos y la frase: "Mírame bien, yo soy Beatriz", se encuentra en el verso número 73, precedido y sucedido por 72 versos, por lo que es exactamente la mitad del canto; pero este canto se halla precedido de 63 cantos y seguido de 36, que es el mismo número 63, pero invertido; como se podrá ver, ambos números remiten al nueve, sumados entre sí, por lo que Dante, en su imaginación, vuelve a encontrar a Beatriz asociada con el número nueve, tal como ocurrió en su infancia. ¿Realmente se propuso el poeta construir su obra con este orden geométrico? ¿Se trata de coincidencias o "sincronías"?

20

El infierno

Lo primero que aparece ante la mirada de Dante y de nosotros, sus lectores, son aquellas palabras inolvidables y aterradoras:

Per me si va nella città dolente,
Per me si va nell'eterno dolore,
Per me si va tra la perduta gente.
Giustizia mosse il mio alto fattore:
Fecemi la divina potestate,
La somma sapienza e il primo amore.
Dinanzi a me non fur cose create,
Se non eterne, ed io eterno duro:
Lasciate ogni speranza, voi che intrate.

Por mí se llega a la ciudad del llanto;
por mí a los reinos de la pena eterna,
y a los que se han perdido para siempre.
Dictó mi autor su fallo justiciero,
y me creó con su poder divino,
con supremo saber y amor primero.
Antes que yo no hubo cosa creada,
sino lo eterno, y yo en lo eterno permanezco.
Ustedes, que aquí entran,
renuncien a toda esperanza.

Por este horrendo umbral entran Virgilio y Dante en ese enorme abismo que es una especie de cono invertido, cuyo eje se fija bajo la ciudad santa de Jerusalén y cuyo vértice coincide con el centro de la tierra. Pero el infierno, propiamente dicho, no comienza inmediatamente después del pórtico, pues antes existe una especie de pre-infierno en el que se encuentran las almas de aquellos que no tuvieron la dignidad de aceptar una causa y luchar por ella: los tibios, los indecisos, los que nunca hicieron bien, pero tampoco mal; ahí se encuentran incluso los ángeles que en la rebelión original, capitaneada por Lucifer, no tomaron partido por Dios, pero tampoco por el demonio, por lo que no merecen el respeto de ninguno de los bandos, y se encuentran inmovilizados para siempre en la antesala del infierno.

De ahí se pasa al primer círculo, que es el de la gran controversia teológica, pues este es precisamente el *limbo,* donde se encuentran las almas de todos aquellos que en vida fueron justos y esencialmente buenos, por lo que merecerían el cielo, pero sucede que no fueron bautizados o no conocieron la religión cristiana, ya fuera porque eran habitantes de regiones no evangelizadas o porque vivieron antes del nacimiento de Cristo; por supuesto, aquí se encuentran todos los grandes pensadores de la antigüedad clásica, incluyendo al propio Virgilio, quien es huésped permanente de ese ámbito infernal, pero que ahora goza de licencia para moverse por todos lados, en virtud de la gran influencia que tiene Beatriz en las altas esferas del reino de los cielos, y del encargo que le ha hecho de guiar a su desconcertado amante.

Los viajeros continúan su viaje, siempre descendente y siempre, curiosamente, caminando por la izquierda, lo que parece el recuerdo de lo "funesto", que los romanos identificaban con todo aquello cuya acción se daba a la izquierda, es decir, lo "siniestro". Así atraviesan por los círculos segundo, tercero y cuarto, donde se castigan tres de los pecados capitales que Dante considera menos pernicio-

Virgilio sería su compañero durante gran parte del trayecto de la *commedia.*

sos, pues a medida que se desciende los castigos aumentan de intensidad. En estos ámbitos sufren sus penas, respectivamente, los lujuriosos, los golosos y los avariciosos. Es interesante señalar que el pecado de la lujuria es para Dante el menos grave, y también debemos comentar que en lo que se refiere a la gula y a la avaricia, se peca tanto por exceso como por falta, pues ahí se encuentran tanto los golosos como los demasiado frugales, y los avaros tanto como los dispendiosos.

La entrada al infierno, dibujo de Botticelli.

El abismo se va estrechando y los viajeros avanzan penosamente por escarpadas laderas, hasta que llegan a la *laguna Estigia*, que se localiza en el quinto círculo, y en cuyas aguas nauseabundas se encuentran sumergidos tanto los iracundos como los apáticos. Esta laguna en realidad es como un foso que rodea a la terrible ciudad de Dite, que es uno de los nombres del demonio, y esta ciudad cubre el resto del infierno, o sea del círculo sexto al noveno, lo que bien pudiéramos considerar como el verdadero infierno, que es la ciudad del demonio, pues, como explica Virgilio, los pecados que se castigan en los primeros círculos responden más bien a la falta de voluntad para oponerse a las pasiones o a los instintos, mientras que en los círculos de la ciudad se castiga a los que realmente se entregaron a la maldad por voluntad propia, por lo que ahí los castigos no son solamente más severos, sino de una índole distinta, los huéspedes ya no sufren solamente de una manera física, sino también psicológica, asociándose sus penas con sus pecados; pero no, como pudiera suponerse, para propiciar su arrepentimiento, pues tal cosa ya no tiene valor en el infierno, sino para que por toda la eternidad sufran el efecto de sus actos, sin esperanza alguna de redención.

En el sexto círculo del infierno, que es el primero de la horrenda ciudad de Dite, se encuentran los herejes, quienes son atormentados por el fuego. En el séptimo círculo se castiga la violencia, pero en tres ámbitos, siendo el primero donde se encuentran los que han ejercido violencia contra otros, el segundo el de los que se han agredido a sí mismos, y el tercero el de los que han sido violentos contra Dios. En el primero de estos espacios corre un río de sangre hirviente que se llama Flegetonte; al atravesar ese río, Dante y su maestro llegan a un terreno exuberante de vegetación, pero cada una de las plantas o los árboles encierra el alma de quienes se han castigado a sí mismos en vida, y sobre todo se castiga a los suicidas. El tercer espacio es un desierto, donde los que han ofendido a Dios reciben constantemente una lluvia de fuego y caminan sobre las ardientes arenas.

Los herejes, dibujo de Sandro Botticelli.

No es fácil para los poetas viajeros llegar al octavo círculo, pues tienen que montar a lomos de un grifo volador que se llama Gerión, para llegar al territorio de *Malevolge* (malabolsa); este círculo se encuentra dividido en diez ámbitos, y todos ellos convergen en un gran foso habitado por seres gigantescos. Como fácilmente de podrá adivinar, por el término de "malabolsa", aquí se castiga a todos aquellos que han engañado a otros en beneficio propio, como los que han cometido fraudes, por lo que son azotados por demonios, los que adulan a los poderosos, que aquí se encuentran cubiertos de excremento, los que practican las artes mágicas para embaucar a la gente y quitarles su dinero; ellos están condenados a caminar siempre con su torso volteado hacia atrás; los que abusan de sus cargos públicos, que están sumergidos en brea caliente; los hipócritas deambulan en procesión como los monjes, y portan un hábito muy similar, pero esa vestimenta está hecha de plomo; los ladrones son acosados por serpientes; los malos asesores y consejeros de los poderosos, que son envueltos en llamas; aquellos que hablan mal de otros para obtener un provecho son constantemente heridos por los demonios que los acosan; los falsificadores sufren la degeneración de su cuerpo, y por último los simoníacos, que son los que medran con los sacramentos y los objetos sagrados, que se pasan la eternidad metidos en pozos con la cabeza hacia abajo; hay que decir que en este espacio Dante parece muy satisfecho de encontrar ahí a muy altos jerarcas eclesiásticos, desde obispos hasta papas.

Por el pozo de los gigantes se desciende hasta el noveno círculo, que es un gran valle atravesado por el río Cocito, cuyas aguas son heladas, y ahí sufren el frío las almas de los traidores, que para Dante son quienes han cometido el peor de los pecados. En el centro de este gélido espacio se encuentra el propio *Dite*, que en otra nomenclatura es Lucifer, el ángel caído, ahora señor de los infiernos; se trata de un monstruo aterrador que posee tres cabezas, y con cada una de ellas devora a quienes, para Dante son los mayores traidores de la historia: Judas, que vendió a Cristo, Bruto y Casio, quienes traicionaron a su César.

La descripción del rey de los demonios es verdaderamente imaginativa, es como una pesadilla que excede con mucho los estereotipos que se manejan en la cultura occidental, como se ve en el canto trigésimo cuarto, y último, de la primera parte de la Divina Comedia:

Lo'mperador del doloroso regno
Da mezzo'l petto uscia fuor della ghiaccia;
E più con un gigante io mi convegno,
Che i giganti non fan con le sue braccia:
Vidi oggimai quant'esser dee quel tutto
Ch'a così fatta parte si confaccia.
S'ei fu sì bel com'egli è ora brutto,
E contra' su fattore alzò le ciglia,
Ben dee da lui procedere ogni lutto.
O quanto parve a me gran meraviglia,
Quando vidi tre facce alla sua testa!
L'una dinanzi, e quella era vermiglia;
Dell'altre due, che s'aggiugnèno a questa
Sovresso'l mezzo di ciascuna spalla,
E si giugnèno al luogo della cresta,
La destra mi parea tra bianca e gialla;
La sinistra a veder era tal, quali
Vengon di là, onde'l Nilo s'avvalla.
Sotto ciscuna uscivan duo grand'ali,
Quanto si conveniva a tanto uccello:
Vele di mar non vid'io mai cotali.
Non avean penne, ma di vipistrello
Era lor modo; e quelle svalazzava:
Sì che tre venti si movièn da ello.
Quindi Cocito tutto s'aggelava:
Con sei occhi piangeva, e per tre mentì
Giocciava il pinato e sanguinosa bava.

Da ogni bocca dirompea co'denti
Un peccatore a guisa di manciulla,
Sì che tre ne facea così dolenti.
A quel dinanzi il mordere era nulla
Verso'l graffiar, chè tavolta la schiena
Rimanea della pelle tutta brulla.

El soberano del reino del sufrimiento sobresalía del hielo desde la mitad de su pecho, y más proporción guardo yo con un gigante, que los gigantes con el tamaño de uno de sus brazos; calcúlese pues cuál sería la medida del todo, si la parte era de tales dimensiones. Si alguna vez fue tan bello como horrible es ahora, y si se alzó en rebeldía en contra del Creador, es comprensible que se haya convertido en el instigador de todos los males. Para mí fue un hecho de maravilla el constatar que tenía tres rostros en su gran cabeza; el que mostraba por delante era colorado; los que tenía a los costados partían de los hombros y se juntaban a ambos lados de la frente; el de la derecha me pareció entre amarillo y blanco; el de la izquierda recordaba el aspecto de los que proceden del país en el que se vierte el Nilo. Debajo de los rostros laterales nacían dos grandes alas, que eran armónicas con el tamaño del monstruo; pero ni en los barcos más grandes había yo visto velas de esa magnitud; esas alas carecían de plumas, eran más bien como las de los murciélagos, pero al agitarse producían tres diferentes tipos de vientos, y era con esas corrientes que se producía el congelamiento de todo el Cocito. Aquel monstruo lloraba por seis ojos al mismo tiempo, y sus lágrimas se mezclaban en sus tres barbas con una espuma sanguinolenta. Con los dientes de cada boca trituraba a un penitente, de modo que los torturados eran tres al mismo tiempo. Pero los mordiscos que daba eran poca cosa en comparación con el daño que producía con sus garras, pues con ella arrancaba la piel de sus víctimas, dejándolas en carne viva.

Dite es el centro mismo de la tierra, por lo que en él confluyen los dos hemisferios y debajo de sus piernas se abre un túnel que conduce al hemisferio austral y que es la salida del infierno, pero conduce al Purgatorio, que es a donde iremos enseguida:

En esta escena pintada por Bertini, Dante entrega el documento que contiene el infierno a Fray Hilario, pero este hecho no está comprobado.

21

El purgatorio

Como ya hemos dicho, Dite o Luzbel se encuentra en el centro del mundo, y bajo sus piernas se encuentra un túnel que conecta ambos hemisferios; por ahí cruzan Dante y Virgilio para llegar al Purgatorio, que es una montaña formada por la tierra que desplazó Luzbel cuando fue proyectado hacia los abismos; podría pensarse que es aquí donde comienza el verdadero territorio de lo metafísico, porque el espacio del Purgatorio ya no podría suponerse parte del mundo sustancial, como podría pensarse del infierno, que es un mundo abisal y se encuentra bajo la tierra donde florece la vida. Aunque se presenta como de origen material, el purgatorio es la contrapartida metafísica del infierno, pues de hecho tienen la misma forma cónica, pero uno es un hueco, mientras que el otro es un promontorio. En la geometría dantesca todo parece responder a una lógica simbólica, pues el eje del centro del infierno hacia la superficie de la tierra se alinea con la ciudad de Jerusalén, mientras que la montaña se alinea con el Paraíso Terrenal, de manera que una línea recta parte del Paraíso y llega a la ciudad santa, o viceversa; el significado de esto sólo lo podría explicar el propio Dante.

Después de una penosa travesía, los viajeros llegan a una playa que se encuentra en la base de la montaña sagrada y observan cómo se acerca una embarcación dirigida por un ángel; en esta barca son llevados al lugar de expiación de sus pecados las almas de aquellos a los que les ha sido permitido pasar por un periodo de purificación en vez de ser enviados al infierno directamente, lo que teóricamente merecerían, pues sus pecados no son menores; pero a estos se les ha concedido la posibilidad de salvación debido a que en sus últimos momentos han hecho un "acto de contrición" y se han arrepentido de sus malas acciones, han muerto con el auxilio espiritual de la Iglesia, o el amor de alguna persona virtuosa les ha valido.

El purgatorio también tiene una "sala de espera", compuesta por dos espacios, en uno permanecen los que no pudieron confesarse y comulgar ante la muerte, y en el otro los que fueron siempre pecadores y sólo se han arrepentido en trance de muerte. Estas almas marginadas pueden llegar a tener el privilegio de entrar en proceso de expiación, si las buenas personas que les sobreviven les dedican misas y oraciones; esta misma "ayuda externa" funciona para los que purgan condenas en el Purgatorio propiamen-

La entrada al purgatorio, obra de un artista italiano anónimo del siglo XVI.

te dicho, con lo que no se aligeran sus penas, pero se reduce el tiempo.

Cuando los poetas llegan a las puertas del Purgatorio, se encuentran con un ángel guardián, que es quien permite o niega el acceso a las almas; aquí Dante hace la siguiente descripción:

Là ne venimmo; e lo scaglion primaio
Bianco marmo era sì pulito e terso,
Ch'io mi specchiava in esso quale i'paio,
Era il secondo, tinto più che perso,
D'una petrina ruvida ed arsiccia,
Crepata per lo lungo e per traverso.
Lo terzo che di sopra s'ammassiccia,
Porfido mi parea sì fiammegiante,
Come sangue che fuor di vena spiccia.
Sopra questo teneva ambo le piante
L'Angel di Dio, sedendo in su la soglia,
Che mi sembiava pietra di diamante.

Entonces nos acercamos y subimos hasta el primer escalón, que era de un mármol tan blanco, pulido y terso, que yo me reflejaba en él con toda fidelidad. El segundo escalón contrastaba por su color oscuro, y estaba hecho de piedra áspera y calcinada, roturada a lo largo y a lo ancho. El tercero era de un tono de rojo intenso, como la sangre que sale de las venas, y sobre éste tenía ambas plantas el Ángel de Dios, que se encontraba sentado en el umbral; la textura de su cuerpo era brillante y diamantina.

Los escalones ubicados en el umbral del portón son representativos de las actitudes que llevan a la salvación; el primero, que es como un espejo, es el momento en que una persona puede verse a sí misma con claridad, reflexionando sobre su vida, lo que la lleva al acto de contrición, simbolizado por la textura áspera del segundo escalón; el tercero, del color de la sangre, representa el sufrimiento de Cristo, y es la penitencia propiamente dicha, que es la vía de salvación que proporciona el Purgatorio; el umbral diamantino representa la solidez de la Iglesia.

Al entrar, el ángel guardián le señala a Dante las siete manchas que lleva en el rostro, lo que significa que él también se encuentra marcado por los siete pecados capitales, que son limpiados en este monte; las faltas más graves son purgadas en los círculos más bajos, y se asciende conforme el siguiente orden: soberbia, envidia, ira, pereza, avaricia, gula y lujuria. Como se puede ver, el número nueve vuelve a aparecer, aunque se complementa con las dos antesalas.

El Purgatorio es un patética expresión de la conformidad con los castigos sufridos, los penitentes cantan salmos y alabanzas a la justicia divina, pues a pesar de que su situación es muy lastimosa, al menos tienen la esperanza, lo que no existe en el Infierno. En todos los casos, los castigos son compensatorios, pues son la contrapartida de lo que marcó la vida de los penitentes, de manera que los envidiosos tienen los ojos cosidos, los perezosos van corriendo de un lado a otro, sin descanso; los iracundos caminan entre una neblina espesa y sofocante; los avaros y los excesivamente pródigos avanzan reptando por el suelo, los glotones padecen hambre y sed a la vista de frutos deliciosos de los árboles y arroyos cristalinos, los lujuriosos son envueltos en llamas. Esta clase de castigos nos recuerdan la "ley del talión".

Para los lectores de la Divina Comedia es notoria la falta de piedad que Dante y su guía tienen por los penitentes del Infierno; pero en el Purgatorio su actitud es completamente distinta, pues están tratando con almas potencialmente bienaventuradas. También se podrá notar que en el Purgatorio abundan las almas de mujeres, lo que es al revés en el Infierno, los pocos casos de mujeres condenadas por toda la eternidad son en realidad asociadas de los hombres; así que podríamos decir que el Infierno es esencialmente masculino, mientras que el Purgatorio es femenino, no sólo directamente, sino indirectamente, pues aquí también los hombres penitentes han sido, de alguna manera, influenciados por mujeres, lo que no deja de ser una proyección del propio Dante, quien parece no preocuparse de otra cosa sino de su propensión al erotismo, lo que él trata con benevolencia, dándose a sí mismo la esperanza de la redención.

En el Purgatorio Dante encuentra algunos amigos, como Forese Donati, Guido Guinizelli y Arnaut Daniel, pero son pocos los encuentros significativos en este mundo de penitencia, y en vez de la conversación directa Dante desarrolla una técnica de expresión literaria novedosa en su época: utiliza los sueños y las descripciones fantasiosas de ciertas esculturas y bajorrelieves que aparecen a su paso, con las que construye historias novedosas en un lenguaje onírico que parece propio del surrealismo.

A medida que los viajeros ascienden por los círculos de la montaña, Dante se va sintiendo más ligero, su paso es menos penoso y se van borrando las marcas del pecado que llevaba en el rostro, lo que significa que él mismo ha pasado por una purificación, lo que es necesario para poder entrar en las regiones superiores.

En el círculo quinto se encuentran al poeta latino Estacio, quien ya ha purgado su condena y por lo tanto puede salir del Purgatorio, por lo que este personaje se une a los viajeros y se convierte en el compañero de Dante por los ámbitos celestiales a donde ya no puede llegar Virgilio. Al atravesar el séptimo círculo, el de los lujuriosos, se llega a un muro de fuego que es la frontera con el Paraíso Terrenal, este es el último obstáculo que debe atravesar Dante para encontrarse con su amada y su guía le asegura que el fuego no habrá de quemarlo, pero él se siente paralizado frente a aquel muro de fuego, pues todavía trae en el rostro la marca de la lujuria, y aunque sabe que debe llegar puro ante Beatriz, el miedo es mayor que su voluntad y prácticamente es obligado a dar el paso, como se ve en el siguiente canto:

Quando mi vede star pur fermo e duro,
Turbato un poco, disse: Or vedi, figlio,
Tra Beatrice e te è questo muro.
Com'al nome di Tisbe aperse al ciglio
Piramo in su la morte, e riguardolla,
Allor che il gelso diventò vermiglio;
Così, la mia durezza fatta solla,
Mi volsi al savio Duca, udendo il nome
Che nella mente sempre mi rampolla.
Ond'ei crollò la testa, e disse: Come!
Volemci star di qua? indi sorrise,
Com'al fanciul si fa ch'è vinto al pome.
Poi dentro al fuoco innanzi mi si mise,
Pregando Stazio che venisse retro,
Che pria per lunga strada ci divise.

Viendo que yo me encontraba paralizado en mi lugar, él se alteró un poco y me dijo:

—Mira, hijo, entre Beatriz y tú media este obstáculo; recuerda cómo, ya cercano a la muerte, Píramo evocó a Tisbe, y la vio al pie del moral, cuyo fruto se volvió rojo como la sangre.

Así pretendía mi guía vencer mi resistencia, pero yo no me decidía a dar el paso, aunque el nombre que él había mencionado estaba de manera permanente en mi imaginación; entonces él meneó la cabeza y me dijo:

—¿Así que no queremos pasar de aquí? Y se sonrió pues me estaba tratando como a un niño al que hay que mostrarle las cosas con claridad; así que ya sin decirme nada me tomó de la mano y se lanzó al fuego, pidiendo a Estacio que nos siguiese.

Sordello da Goito, escena del purgatorio obra de Salvador Dalí.

22

El reencuentro con Beatriz

El Paraíso terrenal es la cima de la montaña, pero no es todavía el reino de los cielos, sino, como en los mundos anteriores, una especie de antesala, un espacio de transición. Este es el mundo creado originalmente por Dios para albergar a sus criaturas, especialmente a los hombres, y es aquí mismo donde se cometió el pecado que produjo el destierro y el inicio de la historia humana; pero este bello jardín se encuentra en las condiciones primigenias y hasta el árbol del pecado existe todavía.

Dante es recibido por unas hermosas ninfas que danzan a su alrededor; una de ellas lo lleva hasta el río Leteo y lo sumerge en las aguas, mismas que tienen la virtud de hacer que se olvide todo lo pecaminoso de la vida, por lo que el poeta queda lo suficientemente purificado como para recibir a su amada, quien no tarda en presentarse, ahora vestida de verde; al verla a lo lejos Dante se siente en extremo inquieto, y entonces piensa decirle a Virgilio: *No queda en mí una gota de sangre que no esté temblando, pues bien conozco las señales de mi antigua llama…* pero al volverse para ver a Virgilio, éste ya había desaparecido, pues de cualquier manera él es un habitante de los abismos y no le es permitido entrar en las esferas celestes, además de que ya había cumplido su misión, por lo que de ahora en adelante será llevado por Beatriz por los diferentes espacios del Paraíso propiamente dicho; sin embargo, el poeta se siente huérfano y abandonado; entonces escucha una voz interna que sin duda procede de su amada y que le dice: *Dante, no llores porque Virgilio se ha marchado, son otras las cosas por las que deberías llorar.*

Finalmente su amada llega a su presencia, lo mira con demasiada intensidad y le dice:

Guardami ben: ben son, ben son Beatrice:
Come degnasti d'accedere al monte?
Non sapei tu, che qui è l'uom felice?

¡Mírame bien!... ¡Soy yo, soy Beatriz! ¿Cómo te has hecho digno de subir a este monte? ¿Sabías que el hombre encuentra aquí su felicidad?

La mirada de Beatriz es demasiado fuerte para Dante, es como un espejo en el que se refleja toda su vida, él ha llevado esa mirada en su imaginación durante toda su vida y ahora se le impone y parece recordarle todo aquello por lo que debiera sentirse avergonzado:

Gli occhi mi cadder giù nel chiaro fonte;
Ma vaggendomi in esso io trassi all'erba;
Tanta vergogna mi gravò la fronte.
Così la madre al figlio par superba,
Com'ella parve a me; perchè d'amaro
Sente il sapor della pietate acerba.

Entonces yo bajé la mirada hacia las claras aguas del río y las hierbas de la orilla, pues era muy grande la vergüenza que sentía. La madre a veces parece demasiado severa al hijo, y así me pareció ella en ese momento, pues no se puede evitar que quede siempre alguna semilla de amargura cuando la piedad emplea el rigor.

Tal vez la imagen de la madre que perdió cuando niño se había trasladado simbólicamente a la dama que había adoptado como el ideal de la feminidad, tierna y bondadosa, pero al mismo tiempo severa e insidiosa, pues había estado dentro de su alma toda su vida, como está una madre en el corazón de un hombre, una madre que sabe más de él que él mismo, por lo que Dante entra de lleno en una crisis emocional:

Y como sucede en las ballestas, en que si la tensión es excesiva se rompe la cuerda y el arco al momento de disparar, y la flecha da en el blanco con menos fuerza, así cedí yo a la opresión tan grande que se ejercía sobre mí, hasta que se me quebrantó la voz y rompí en suspiros y llantos.

Entonces Beatriz, implacable, comienza a cuestionarlo:

... Per entro i miei disiri
Che ti menavano ad amar lo bene,
Di là qual non è a che s'aspiri,
Quai fosse attraversate, o quai catene
Trovasti, perchè del pessare innanzi
Dovessiti così spogliar la spene?
E quali agevolezze, o quali avanzi
Nella froante degli altri si mostraro,
Perchè dovessi lor passeggiare anzì?

Como un apoyo para mi anhelo –me dijo ella–, que te encaminaba a buscar un bien que se encuentra más allá de cualquier otro, dime, ¿qué abismos o qué montañas se te oponían, al grado de que pudieran hacerte renunciar a la esperanza de seguir adelante?... ¿Qué atractivos o dones hallabas en los demás, que te animaban a obsequiarlos de la manera como lo hacías?

Doppo la tratta d'un sospiro amaro,
Appena ebbi la voce che rispose,

E le labbra a fatica la formaro.
Piangendo dissi: Le presenti cose
Col falso lor piacer volser miei passi
Tosto che'l vostro viso si nasconse.

Un amargo suspiro me dejó apenas el mínimo aliento para responder; y aunque difícilmente mis labios podían articular palabras, entre sollozos le respondí:

Ante mi vista se presentaron siempre falsos placeres, que extraviaron mis pasos después de que tu rostro dejó de estar presente.

Ed ella: Se tacessi, o se negassi
Ciò che confessi, non fora men nota
La colpa tua; da tal Giudice sassi:
Ma quando scoppia dalla propria gota
L'accusa del peccato, in nostra corte,
Rivolge sè contra'l taglio la rota.
Tuttavia perchè me'vergogna porte
Del tuo errore, e perchè altra volta
Udendo le sirene sie più forte,
Pon giù'l seme del piangere, ed ascolta;
Sì udirai come in contraria parte
Muover doveati mia carne sepolta.
Mai non t'appresentò natura, ed arte
Piaccer, quanto le belle membra in ch'io
Rinchiusa fui, e che son terra sparte;
E se'l sommo piacer sì ti fallio
Per la mia morte, qual cosa mortale
Dovea poi trarre te nel suo disio?
Ben ti dovevi, per lo primo strale
Delle cose fallaci, levar suso
Diretro a me che non era più tale:
Non ti dovea gravar le penne in giuso
Ad aspettar più colpi, o pargoletta,
O altra vanità con sì breve uso.

Nuovo angeletto due, o tre aspetta;
Ma dinanzi dagli occhi de'pennuti
Rete si spiega indarno, o si saetta.

Aunque lo calles o lo niegues, no dejará tu culpa de conocerse –sentenció Beatriz–, pues el Juez todo lo sabe; mas cuando la acusación sale de la boca del propio pecador, pierde filo la espada de la justicia que existe en el tribunal del cielo. Con todo, para que sea mayor la vergüenza por tus errores y aumente tu voluntad para oponerte al canto de las sirenas cuando lo vuelvas a escuchar, es preferible que ahora suspendas el llanto y escuches con atención, pues sabrás que la muerte, que consumió mi carne, también creó en ti pensamientos contradictorios. Ni la naturaleza ni el arte te causaron jamás el encanto que te producían los hermosos miembros en los que se contenía mi ser mientras vivía, y que ahora no son más que despojos de la tierra; pero mi muerte hizo que te faltara lo que era tu único placer; ¿qué cosa mortal hubiese colmado tus deseos a partir de entonces? Al primer revés que sufrieron tus falaces ilusiones, tendrías que haberte remontado al cielo en seguimiento mío, pues yo no podía caer en engaños semejantes; no debiste haber bajado tu vuelo hacia la tierra para ser blanco de los intereses de alguna jovencilla, o de otros objetos igualmente vanos y de naturaleza efímera. Los pájaros que salen del nido por primera vez se exponen a ser atrapados con facilidad; pero en vano se lanzan flechas o se tienden redes para atrapar a los que ya tienen robustas alas y saben usarlas.

Quale i fanciulli, vergognando muti,
Con gli occhi a terra stannosi, ascoltando
E sè riconoscendo'e ripentuti;
Tal mi stav'io, ed ella disse: Quando
Per udir se'dolente, alza la barba,
E prenderai, più doglia riguardando.

Así como los niños, que con la vista baja, y reconociendo su falta, escuchan la reprimenda, y considerándola justa, se arrepienten de lo que hicieron, así estaba yo, mientras ella decía:

—Pues que tanto te duele oírme, alza la barba, pues tu dolor será mayor si me miras.

Desde luego no es muy benevolente la actitud de Beatriz en esta primera entrevista, Dante la transforma en su conciencia moral y se reprocha a sí mismo, a través de ella, una vida que él considera licenciosa, en especial su relación con una jovencita, de quien ya hemos tenido noticia en un apartado anterior de este libro; por los datos que se tienen de la vida de Dante, tal parece que él mismo se juzga con demasiada severidad, pues su "ligereza" con las mujeres no fue nunca cosa de escándalo, y por supuesto serían pecados menores, a comparación de algunos actos políticos en los que parece haber actuado con un partidismo que raya en la injusticia, como es la condena al exilio de su amigo Guido Cavalcanti y algunos otros hechos que pudieran ser éticamente cuestionables; tal vez, como modelo de virtud, magnifica sus pequeños errores para ocultar los grandes, proponiéndose como un niño "travieso", delante de una madre rígida, pero en el fondo amorosa y comprensiva, pues debemos recordar que él ha llegado a las puertas del Paraíso por instancias de ella misma, y que su inspiración no puede ser otra que el amor. De ahí en adelante ella lo guiará por las nueve esferas del reino celestial, y será a través de su mirada que el poeta se transportará mágicamente de uno a otro ámbito.

Detalle del sueño de Dante, cuadro de Rossetti.

23

El paraíso

El sol se encuentra en el cenit cuando Beatriz clava en Dante una mirada particularmente intensa; el poeta se siente capaz de resistirla y en el momento en que fija en los ojos de ella su propia mirada se produce el prodigio, pues sin que medie tiempo alguno Dante es transportado al primero de los espacios del Paraíso, que es el "Cielo de la Luna", y Dante siente que su cuerpo se ha vuelto tan sutil que se inserta en la luna como un fantasma que atravesara un muro: *La perla del cielo nos recibió en su propia sustancia como el agua deja paso al rayo de luz sin separarse.*

La sensación es para el poeta algo maravillosamente disfrutable, le parece encontrarse: *...en una nube brillante, pero densa, sólida, perfectamente unida, como un diamante en el que se reflejara el sol.*

A partir de aquí, todo será luz en la percepción del poeta, todo brilla por sí mismo o recibe el reflejo de otras luces, todo está conformado de materia luminosa, hasta las almas que aquí habitan emiten una luz de diferente intensidad y colorido, de acuerdo a la región de bienaventuranza a la que han logrado acceder por efecto de su virtud. La misma Beatriz se trasforma al ir ascendiendo, y su mirada adquiere una mayor intensidad, pues ella en realidad pertenece a la esfera más elevada y su naturaleza es beatífica, pero ha tenido la gentileza de presentarse en condiciones más humildes ante su fiel amante, pues sabe que él, siendo todavía mortal, y además impuro, no podría resistir la visión de su verdadera belleza; pero mientras avanzan, él se va habituando a las transformaciones de ella, lo mismo que a la luz, cada vez más sublime de las esferas superiores, lo que también significa que su alma se va purificando.

Para la mentalidad numerológica de Dante, el Paraíso debería tener una estructura también novenaria, pero esto representaba un problema teológico, puesto que la bienaventuranza no se concebía como una serie de gradaciones, sino como un estado absoluto del alma que alcanza la completa felicidad en la presencia de Dios, por lo que las almas de los elegidos tendrían que estar en lo que Dante llama el Empíreo, que es propiamente el cielo, o el reino de Dios; pero la lógica de Dante no podría admitir la falta de simetría en todas las cosas, por lo que tiene que definir una propuesta teológica revolucionaria para su tiempo, pues resulta que la beatitud es la misma en todos los casos, pero de acuerdo al grado de virtud de cada quien su capacidad de experi-

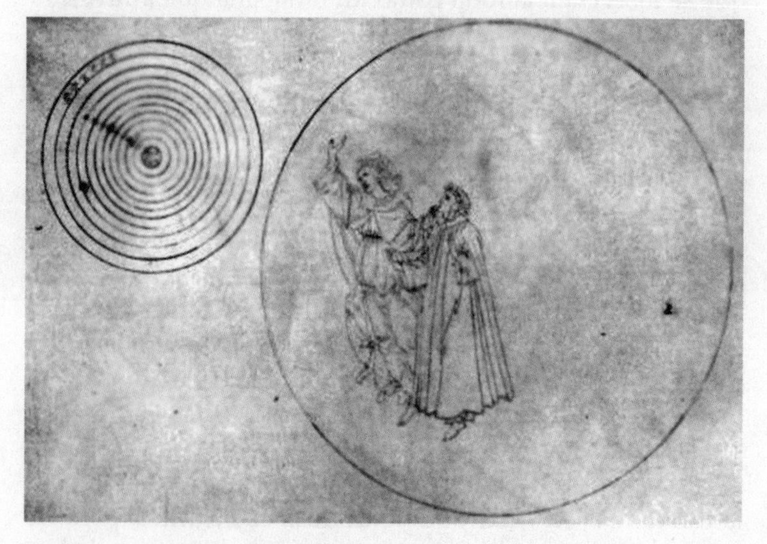

Dante y Beatriz en la esfera de la luna, dibujo de Botticelli.

mentar esa beatitud es diferente, por lo que en realidad se encuentran ubicados de acuerdo a la calidad de su percepción, lo que es el producto de su evolución espiritual, misma que parece ser relativamente independiente de sus méritos, pues hay seres cuya vida fue larga y ejemplar, y se encuentran en una escala inferior, mientras que Beatriz, por ejemplo, cuya vida fue corta e improductiva, se encuentra apenas por debajo de la madre de Dios. Afortunadamente la Divina Comedia nunca fue considerada por la Iglesia sino como el producto de la fantasía poética, pues si hubiese sido filosófica, su autor, y la obra misma, hubiesen terminado en la hoguera.

Otra manera original de manejar esta diferencia de niveles es que el conjunto de las esferas es en realidad un solo espacio y posee una forma única, que es una estructura que semeja una gran rosa, la cual no puede percibirse sino hasta encontrarse en el Empíreo, que es el ámbito más elevado; así que el viaje por el Paraíso es en realidad una ascensión en espiral, lo que también tiene una relación simbólica con el camino del "espíritu".

En el primer cielo, el de la luna, Dante encuentra a las almas que siempre fueron virtuosas, pero que cometieron el desacato de romper los votos, aunque desde luego no por propia voluntad, ya que de otra manera hubiesen pecado seriamente y no estarían ahí; de hecho se trata de almas que no estuvieron a la altura de su destino y que por lo tanto no realizaron lo que debían, aunque se hayan comportado siempre de manera virtuosa. En esta esfera se encuentran también las almas de los niños y de los "inocentes", lo que debe entenderse como aquellos que nacieron con alguna tara que les impidió alcanzar la conciencia y por lo tanto la responsabilidad de sus actos, pero en todo caso se trata de seres bautizados, ya que de otra manera tampoco estarían ahí. En esta esfera Dante se encuentra con Piccarda Donati, quien tuvo que romper sus votos monacales por culpa de su hermano, Corso Donati (el enemigo acérrimo de Dante), quien la sacó del claustro para casarla por la fuerza, pues así convenía a sus intereses políticos.

La segunda esfera, que es el cielo de Mercurio, es el recinto de los que han realizado grandes hazañas en el mundo, pero en provecho de la cristiandad, ellos se encuentran en forma de llamas animadas por movimientos rítmicos y se expresan por medio de lengüetas luminosas que aparecen en la punta de la llama.

En el cielo de Venus, y como es comprensible, se encuentran las almas de quienes en vida fueron capaces de sentir un profundo amor, sobre todo por asuntos religiosos, aunque también amor profano, siempre que se hubiesen arrepentido de los pecados que se encuentran asociados al amor carnal.

El cielo cuarto es el del Sol, y en él se encuentran los filósofos, y sobre todo los teólogos que han dado estructura ideológica a la Iglesia, los padres de la misma, como san Buenaventura, santo Tomás de Aquino y san Agustín de Hipona.

El quinto cielo es el de Marte y, como es lógico, ahí se encuentran todos aquellos próceres que combatieron por la fe y los mártires del cristianismo; como también es lógico, en esta esfera Dante reconoce a su ancestro Cacciaguida, y con él sostiene un largo diálogo acerca de la genealogía de los florentinos famosos, y de toda clase de asuntos políticos.

En el cielo de Júpiter, que es la sexta esfera, habitan todos los gobernantes que ha sido sabios y justos con sus pueblos, estas almas destellan con visos rojos como el rubí y el conjunto luminoso forma la imagen de un águila que semeja el estandarte del admirado imperio romano.

El séptimo cielo corresponde a Saturno, y aquí la imagen poética es la de una enorme escalera de oro cuyos resplandores se pierden en las alturas, en sus escalones moran las almas de aquellos que lograron una religiosidad muy refinada y vivieron entregados a la contemplación.

Esta taxonomía se relaciona con los siete planetas y tiene una clara influencia de la astrología, de la que Dante se declara creyente, aunque considera la influencia de los astros como parte de la realidad mundana, igual que lo que pudiera ser el orden ecológico, por lo que no representa para él una contradicción con la religión, aunque tal parece que la astrología también se relaciona con el orden metafísico, pues los siete primeros ámbitos del reino celestial responden a esa tradición y no a la doctrina aceptada por la Iglesia en esos tiempos.

Para llegar al nueve y cumplir con el principio de simetría que rige en la mente de Dante, faltarían dos espacios, que ya no son "esferas", puesto que no se identifican con los astros, estos no son "mundos" o "recintos", sino que constituyen el propio universo, donde cabe todo lo demás, pero se encuentra dividido en dos niveles, el primero es el cielo de las "estrellas fijas", y el segundo es el "cielo cristalino".

Beatriz conduce al poeta hasta la constelación de Géminis, bajo cuya influencia ha nacido; desde ahí Dante tiene una perspectiva estupenda del universo, y contempla a la tierra como una de tantas pequeñas esferas que deambulan por la inmensidad, lo que mueve la nostalgia del poeta, quien en esos momentos expresa como su máximo deseo el que su amada Florencia por fin pueda encontrar la paz; aquí mismo conversa con el apóstol Pedro, pilar de la Iglesia, y pone en su boca palabras de severa crítica en contra de la jerarquía eclesiástica, que el propio Pedro considera profundamente corrompida, expresando la necesidad de una reestructuración.

El tránsito del poeta por el cielo cristalino está marcado por una serie de consideraciones astronómicas, que se basan en el sistema de Tolomeo; pero este cielo es como el reflejo sutil del otro que le es complementario, como si hubiera un universo físico y otro metafísico, ocupando ambos el mismo espacio y envolviendo todo lo que existe. Este cielo "cristalino" es como la parte sensible del Empíreo, que podría concebirse como un universo virtual, paralelo al universo real, cumpliéndose con ello una dualidad materia-esencia equivalente a cuerpo-alma.

Siguiendo la concepción aristotélica, Dante identifica a este cielo cristalino con el "primer motor inmóvil", que es el principal atributo de Dios, pues es el origen de todo lo que existe y el sentido de su animación. Desde este cielo Dante puede tener la maravillosa visión de la "Rosa Celeste", que es la interpretación poética del reino de los cielos como una unidad, cuyas partes se unen en una rosa que se dibuja en el infinito por puntos de luz, siendo cada uno de esos puntos un alma bienaventurada; pero del interior de la rosa hacia la periferia se conforman nueve halos de luz, que son el producto de la brillantez de las nueve jerarquías de ángeles; se les percibe como líneas de luz porque ellos se encuentran en movimiento y giran a diferentes velocidades, siendo los más rápidos los que se encuentran más cerca del centro. La descripción de esta figura está llena de belleza y significado:

In forma dunque di candida rosa,
Mi si mostrava la milizia santa,
Che nel suo sangue Cristo fece sposa.
Ma l'altra, che volando vede e canta
La gloria di Colui che la innamora,
E la bontà che fece cotanta,
Sì come schiera d'api che s'infiora
Una fiata, ed una si ritorna
Là dove suo lavoro s'insapora,
Nel gran fior discendeva, che s'adorna
Di tante foglie, e quindi risaliva
Là dove il suo amor sempre soggiorna.
Le facce tutte avean di fiamma viva,
E l'ale d'oro, e l'altro tanto bianco,
Che nulla neve a quel termine arriva.

Dante ascendiendo al empíreo, obra de Salvador Dalí.

Así que la milicia celeste se me presentó en la forma de una cándida rosa. Esta es la fuerza con la que se desposó Cristo por el vínculo de su sangre; pero la de los ángeles, que volando contemplan y cantan la gloria de Aquel que es objeto de su amor, y cuya bondad los sublimó al grado máximo de la excelencia. El conjunto de ángeles semejaba un enjambre de abejas, que vuelan entre las flores, ya sea libando su néctar o labrando sus panales, así se posaban aquellos seres sobre la flor de la que ellos mismos eran las hojas, y de ahí se remontaban hasta donde mora eternamente el objeto de su máximo amor. Sus rostros se encontraban iluminados por una llama perenne, tenían las alas de oro y sus vestimentas eran de tal blancura que la nieve más pura no se le puede comparar.

Dante queda absorto en la contemplación de aquella fantástica figura y cuando vuelve la mirada para hablar con Beatriz ella ya no está, y en su lugar se encuentra un anciano, Bernardo, que es el alma de un monje que en vida fue promotor del culto *mariano*, dedicando todo su amor a María, la madre de Cristo, a la manera de los trovadores o de los *fideli d'amore*, como el Dante mismo en relación con Beatriz. Ella ya no se encuentra ahí, pues ha tomado su lugar a los pies de la virgen María, que es el lugar que le corresponde en la rosa mística y en la imaginación de su adorador, con lo que ella retoma su esencial condición y el poeta encuentra la confirmación de que lo que sintió en el primer encuentro con Beatriz, a los nueve años de edad, era una sublime verdad, y así, lo que era poesía ahora se convierte en realidad, y así termina la Divina Comedia:

Ma non eran da ciò le proprie penne;
Se non che la mia mente fu percossa
Da un fulgore, in che sua voglia venne.
All'alta fantasia qui mancò possa:
Ma già volgeva il mio disiro e il velle,
Sì come ruota che igualmente è mossa,
L'Amor che muove il Sole e l'altre stelle.

Entonces fue que perdí el sublime vigor de mi fantasía, pero el Amor que inflama todo anhelo y toda voluntad ya se encontraba en mí, como una rueda que gira dentro de otra, y era el mismo Amor que mueve el sol y las estrellas.

* *

A principios de 1321, Dante termina el Paraíso, y en agosto del mismo año parte con una embajada por encargo de Guido Novello hacia Venecia, pero regresa pronto con una enfermedad que le produce altas fiebres. Muere en Ravena la noche del 13 al 14 de septiembre y es sepultado con honores en la iglesia de San Francisco de esa misma ciudad, donde permanecen sus restos.

* * *

EPÍLOGO: Sumados 13 y 14 dan 9, y Dante muere en septiembre, que es el mes número 9.